LA CLÉ USB

JEAN-PHILIPPE TOUSSAINT

LA CLÉ USB

LES ÉDITIONS DE MINUIT

L'ÉDITION ORIGINALE DE CET OUVRAGE A ÉTÉ
TIRÉE À QUATRE-VINGT-CINQ EXEMPLAIRES SUR
VERGÉ DES PAPETERIES SCHLEIPEN, NUMÉROTÉS
DE 1 À 85 PLUS SEPT EXEMPLAIRES HORS COMMERCE
NUMÉROTÉS DE H.-C. I À H.-C. VII

L'auteur remercie la Fédération Wallonie-Bruxelles
qui lui a accordé une bourse année sabbatique en 2018.

ISBN 978-2-7073-4559-2

I

Un blanc, oui. Lorsque j'y repense, cela a commencé par un blanc. À l'automne, il y a eu un blanc de quarante-huit heures dans mon emploi du temps, entre mon départ de Roissy le 14 décembre en début d'après-midi et mon arrivée à Narita le 16 décembre à 17 heures 15. On ne sait jamais tout de la vie de nos proches. Des pans entiers de leur existence ne nous sont pas accessibles. Il demeure toujours des zones d'ombre dans leur vie, des blancs, des trous, des absences, des omissions. Même chez les personnes qu'on croit le mieux connaître, il subsiste des territoires inconnus. Mais chez nous-mêmes ? N'est-on pas censé tout connaître de notre propre vie ? Ne doit-on pas être tout le temps joignable, par téléphone, par mail, par Messenger ? N'est-on pas tenu maintenant d'être localisable en permanence ? N'est-il pas indispensable, quand on voyage, que nos proches sachent à tout moment où nous nous trouvons, dans quel pays, dans quelle ville, dans quel hôtel ? Ce qui m'est arrivé pendant ces quarante-huit heures, où personne de ma famille ni de mon environnement professionnel ne savait où j'étais, n'était pas une de ces disparitions volontaires, comme il en survient plusieurs milliers chaque année en France. Ce n'était pas non plus une de ces amnésies passagères, un trou de mémoire, une éclipse fugitive de la conscience due à l'abus d'alcool, quand, après une soirée trop arrosée, on ne se souvient plus au réveil des événements de la nuit, qui nous réapparaissent dans les vapeurs de notre mémoire embrumée, comme si les choses que nous avions vécues la nuit précédente (et parfois les plus voluptueuses, comme une aventure sexuelle éphémère), étaient advenues malgré nous et avaient par la suite été effacées de notre mémoire. Non, je n'ai souffert d'aucune amnésie de cette sorte pendant ces quarante-huit heures. Au contraire, je me souviens de ces deux jours avec netteté et précision, certaines images me reviennent même avec une clairvoyance hallucinatoire. Mais il y a ce blanc, ce blanc volontaire dans mon emploi du temps, cette parenthèse occulte que j'ai moi-même organisée en gommant toute trace de ma présence au monde, comme si j'avais disparu des radars, comme si je m'étais volatilisé en temps réel. Je n'étais, pendant quarante-huit heures, officiellement, plus nulle part — et personne n'a jamais su où je me trouvais.

À la Commission européenne où je travaille, on me croyait au Japon. Ma famille aussi pensait que j'étais à Tokyo. Le colloque international *Blockchain & Bitcoin prospects* auquel je devais participer était prévu de longue date. J'avais été invité à intervenir comme expert européen lors de la deuxième journée de ce colloque qui devait se tenir à l'International Forum de Tokyo. C'est le professeur Nakajima, de l'université Todaï, qui avait organisé mon voyage. Il avait élaboré mon programme et prévu, en marge de mon intervention au colloque, une conférence dans son université. Depuis quelques années, dans le cadre de mes activités au Centre commun de recherche, je m'intéressais de près à la technologie blockchain. Je travaillais depuis longtemps dans le domaine de la prospective stratégique, d'abord dans un centre de réflexion et d'études prospectives à Paris et maintenant au sein de la Commission européenne. Cela faisait plus de vingt ans que je travaillais sur l'avenir. Et, en vingt ans, que de malentendus ! Combien de fois avais-je dû préciser que la prospective, si elle avait bien l'avenir comme sujet d'étude, n'était en rien de la divination. Combien de fois, dans les dîners en ville, à Paris et à Bruxelles, m'avait-on demandé, puisque j'étais spécialiste de la question, ce que l'avenir nous réservait. Dans le meilleur des cas, la question ne portait pas, grâce au ciel, sur l'avenir dans sa totalité (le territoire, je le sais d'expérience, est assez vaste), mais sur tel ou tel de ses aspects particuliers, environnemental ou géopolitique, que ce soit le réchauffement climatique ou l'évolution de la question syrienne. Je ne suscitais en général dans mes réponses que déception et réprobation silencieuse, voire une méfiance à peine dissimulée, quand je répondais, fort de la rigueur de mon approche scientifique, que je n'en savais rien. Aux sourires entendus, aux échanges de regards furtifs et aux mines amusées que je surprenais par-dessus la table, je n'opposais pas de résistance. Je ne cherchais pas à m'expliquer, encore moins à convaincre. Tout au plus voulais-je bien concéder que l'intuition, parfois, m'était utile. Je travaillais sur l'avenir, la belle affaire. Même parmi mes collègues de la Commission européenne, on ignorait généralement de quoi il s'agissait. Il n'était pas rare que tel ou tel directeur général, intrigué par l'unité que je dirigeais, vînt me trouver dans mon bureau pour me demander en quoi cela consistait, exactement, la prospective, ajoutant mine de rien, car c'était souvent la véritable raison implicite de leur visite : « Et en quoi cela pourrait

12

m'être utile ? » Chaque fois, comme un préalable bien rodé, je prenais le temps de dire ce que la prospective n'était pas, je commençais par la définir de façon négative. Ce que la prospective n'était pas, je le savais par cœur — quant à savoir ce qu'elle était ?

Ce que la prospective n'était pas, rien de plus simple. La prospective stratégique n'est pas de la voyance. Il ne s'agit nullement de prémonition ou de prophétie. Il n'est en aucun cas question de prédiction, ni même, et c'est le niveau minimal généralement attendu, de prévision. Non, la prospective stratégique ne prédit pas l'avenir. L'avenir, simplement, est son sujet d'étude, et nous disposons, pour l'explorer, d'une boîte à outils méthodologique extrêmement élaborée, qui s'est constituée et perfectionnée depuis la fin de la deuxième guerre mondiale, outils qui ont pour nom méthode Delphi, modélisations, extrapolation de tendances ou méthode des scénarios. La communauté de la prospective est une communauté relativement restreinte, où nous communiquons exclusivement en anglais, alors que nous sommes tous polyglottes, chacun parlant au minimum deux, voire trois ou quatre langues. Par la force des choses, c'est un peu toujours les mêmes têtes que l'on croise dans les colloques et conférences internationales qui nous réunissent deux ou trois fois par an, comme le congrès annuel de la *World Future Society* ou celui de l'*Association of Professional Futurists*. Mon ami Peter Atkins organise tous les ans une retraite d'été dans le décor somptueux et champêtre d'Hartwell House, près de Londres. Pour notre part, à Bruxelles, nous accueillons jusqu'à quatre cents experts du monde entier pour des conférences d'analyse technologique prospective (qui répondent au joli acronyme d'ATP, qui rappelle celui de l'association des tennismen professionnels). Nous formons une communauté relativement homogène, et, comme toute communauté, nous sommes traversés par un réseau invisible d'affinités et d'antipathies, d'amitiés et de haines, de jalousies secrètes et de ressentiments, de clans et de chapelles, qui, de façon souterraine, parcourent les profondeurs de notre société comme autant de courants indécelables à la surface. Même si nous vivons en vase clos, nous sommes quand même moins consanguins qu'une famille royale ou qu'un orchestre philharmonique. De multiples apports extérieurs, experts scientifiques, ingénieurs, politiciens, viennent régulièrement aérer notre confinement, et la présence renouvelée de ces apports métissés, nouvelles têtes et pièces rapportées, secoue sans cesse la torpeur de notre marigot. Et tout ce joli monde, bien sûr, n'a d'yeux que pour l'avenir. Mais,

autant le dire tout de suite, l'avenir n'existe pas
— tout du moins, pas encore.

Quelle que soit l'excellence des instruments
dont nous disposons, l'avenir ne peut pas être
prédit. Comment pourrions-nous *prédire* quelque chose qui n'existe pas encore ? L'avenir,
quand nous le scrutons depuis le temps présent
(et d'où pourrions-nous le scruter, si ce n'est
depuis le présent ?), demeure mouvant, instable,
flou, indécis, comme un immense ciel de vent
changeant, tantôt calme, tantôt tumultueux. Il
peut prendre de multiples formes, ses contours,
en perpétuelle mutation, se dilatent et se mélan-
gent, ses frontières se modifient, tandis que sa
substance nous reste fondamentalement inconnue. Au moment où nous l'observons, l'avenir
n'est pas encore élucidé. Dans son incertitude
essentielle, dans son indétermination menaçante,
l'avenir a toujours été pour l'homme une source
d'inquiétude. L'inquiétude, voilà. L'homme (et
moi le premier) a toujours éprouvé une inquiétude irrationnelle face à l'avenir. Il a toujours
pensé que l'avenir pouvait présenter un danger,
et, pour le conjurer, depuis l'Antiquité, il a mis
en place toutes sortes de pratiques réductrices
d'angoisse et de rites apotropaïques. Pendant des
siècles, l'homme a cru que l'avenir ne lui était
pas accessible, qu'il appartenait à Dieu, que

c'était le domaine réservé de puissances qui le dépassent. Pour essayer de l'entrevoir, pour lever un coin du voile sur ce qu'il nous réservait, parfois de meilleur, souvent de pire, il fallait passer par la médiation d'un augure ou d'un oracle. Aujourd'hui, nous regardons de haut ces pratiques archaïques. Notre démarche se veut plus rationnelle, plus scientifique. Nous ne cherchons pas à prédire l'avenir, simplement à le préparer, ce qui nous amène à considérer le futur non pas comme un territoire à explorer, mais comme un territoire à construire. C'est au philosophe français Gaston Berger que l'on doit l'idée essentielle de la prospective que l'avenir est indissociablement lié à l'action. Si on s'intéresse à l'avenir, ce n'est pas en esthète ou en observateur passif, mais avec une visée utilitaire, au service de l'action et de la décision politique. L'avenir ne doit pas être considéré comme quelque chose de déjà décidé, mais comme quelque chose d'ouvert, qui reste à construire, c'est-à-dire sur lequel les décisions du présent peuvent encore avoir une influence. Mais la véritable figure tutélaire de la prospective, c'est l'Américain Herman Kahn. Herman Kahn est le précurseur, ou la légende, de la prospective stratégique. C'est lui le père fondateur de la fameuse méthode des scénarios. Au milieu des années 1950, Kahn cherchait un mot pour désigner les présentations fictives qu'il utilisait en prospective, et, après une discussion avec un scénariste d'Hollywood qui lui expliqua que le mot *scenario* avait été abandonné par le milieu du cinéma au profit du terme *screenplay*, il s'est emparé du mot *scenario* pour nommer, en prospective stratégique, les récits fictifs qui décrivent les situations susceptibles de se réaliser dans le futur. Comme me l'a souvent fait remarquer mon ami Peter Atkins, les Français aiment dire que les Américains sont rigides et déterministes en matière de prospective, mais, en fait, quand on lit les articles d'Herman Kahn, on se rend compte que même Kahn est beaucoup plus souple qu'on le prétend, il a quand même eu l'audace de choisir un mot venu d'Hollywood pour nommer les fictions qui sont élaborées en prospective stratégique. Auteur d'un très controversé *De la guerre thermonucléaire*, qui a défrayé la chronique dans les années 1960, Herman Kahn a passé beaucoup de temps à imaginer des scénarios liés à une hypothétique guerre nucléaire avec l'Union soviétique, cherchant à répertorier froidement, à l'aide de différents tableaux, les multiples stratégies pour une guerre nucléaire « gagnable » par les États-Unis. Il distingua dix types de crises et tâcha de montrer qu'avec une bonne préparation en amont, la survie était sans doute possible pour les États-Unis. Son décompte clinique des morts dans chacune des hypothèses étudiées, repris dans des graphiques méthodiques, qui allaient de l'hypothèse basse (2 millions de morts) à l'hypothèse haute (160 millions de morts) a provoqué un véritable tollé à la sortie du livre. Ses détracteurs lui reprochaient la complaisance avec laquelle il jouait avec le feu nucléaire et l'accusèrent d'en appeler à un véritable meurtre de masse. Kahn, déjà assez obsessionnel, égaré dans ses décomptes macabres, a fini par apparaître comme un illuminé monomaniaque, au point d'avoir été une des sources d'inspiration de Stanley Kubrick pour le docteur Folamour.

Souvent moins connus que les personnages de fiction légendaires comme le docteur Folamour ou Citizen Kane, les grandes figures de la prospective sont généralement ignorées du grand public. À cette galerie de portraits de personnalités rocambolesques, il faudrait ajouter la singulière effigie de Pierre Wack. Le Français Pierre Wack, qui est non seulement un Français (par définition un peu fou, comme dit mon ami Peter Atkins), mais un original (*an unconventional French*, comme l'écrit, par euphémisme, un de ses biographes), était un vrai hippie, qui faisait des pèlerinages en Inde pour rendre visite à son gourou, le swami Prajnanpad, et passait ses journées assis en lotus dans son bureau à faire de la méditation. Et c'est à ce pistolet que la direction de la Royal Dutch Shell allait faire appel au milieu des années 1960 pour mettre en place un système de planification mondial pour l'ensemble des activités du groupe pétrolier, de l'extraction des hydrocarbures à la distribution de l'essence dans les stations-service. Pierre Wack (dont le nom facétieux avait des allures de Pierre Dac), avait désormais son bureau personnel dans la nouvelle tour Shell de Londres, bureau dans lequel se consumait invariablement un bâton d'encens, tandis que notre expert, pieds nus sur la moquette, déambulait, pensif, en kimono de lin blanc et pantalon thaïlandais le long de la baie vitrée du gratte-ciel de la Shell qui domine la rive sud de la Tamise. Considérant que la façon ancienne de faire des plans à cinq ans au sein de la Shell n'était plus opérante et que les modèles du futur ne prenaient pas assez en compte des données extérieures à l'industrie, Pierre Wack engagea alors la Shell sur la voie de la méthode des scénarios, qui, à partir de 1971, allait se substituer aux prévisions quantitatives traditionnelles au sein de la multinationale. Peu à peu, les décideurs de chez Shell commencèrent à s'habituer, si ce n'est aux effluves de résine de sandaraque qui nimbaient la silhouette de Pierre Wack quand il sortait des ascenseurs, à l'idée, au départ tenue pour absurde, que le marché du pétrole connaîtrait un profond déséquilibre et une hausse brutale des prix à partir de 1975, intuition qui allait se confirmer de façon éclatante en 1973, avec le premier choc pétrolier.

Ces dernières années, il m'est arrivé de lire à l'occasion un roman de science-fiction. Je me souviens également d'avoir vu au cinéma plusieurs épisodes de *Star Wars*. J'en ai vu un il y a très longtemps, c'était encore au XXe siècle, peut-être en 1999. Quelle date étrange, ce 1999, avec sa traîne de 9 qui semble se dissiper silencieusement dans le temps comme une queue de comète dans l'éther intersidéral. Et, pourtant, comme nous la trouvions naturelle, cette date, quand nous la vivions sur le moment, où c'était plutôt les dates qui commençaient par 2000 qui nous semblaient surnaturelles. J'ai vu l'épisode I de *Star Wars*, *La Menace fantôme*, à Rome, avec Alessandro, mon fils aîné, qui devait avoir neuf ou dix ans à l'époque. J'étais venu passer un long week-end à Rome pour voir Alessandro, qui vivait en Italie avec sa mère depuis notre séparation, et je l'avais emmené voir *Star Wars*. C'était un jour d'août caniculaire, et je me souviens encore de la bienfaisante fraîcheur ombrée de cette salle de cinéma climatisée près de la piazza Barberini. Alessandro, à côté de moi, en short et maillot de la Roma, regardait, fasciné,

les silhouettes monacales des chevaliers Jedi enca-
puchonnés dans leur robe de bure qui s'affron-
taient au sabre laser. Pour ma part, je regardais
autant l'écran que mon fils, dont je devinais les
petits yeux captivés dans la pénombre, la bouche
ouverte et son cône de glace immobilissime dans
sa main, qui écoutait religieusement les sages
paroles de maître Yoda. *La paura è la via per il
lato oscuro.* Mon fils ne lisait pas encore avec
fluidité les sous-titres, et nous étions allés voir le
film doublé en italien. *La paura porta alla rabbia.
La rabbia porta all'odio, l'odio conduce alla soffe-
renza*, poursuivait maître Yoda (c'est bien, hein,
disais-je de temps en temps en me tournant vers
mon fils pour le prendre à témoin).

Très récemment encore, un soir de désœuvre-
ment après une journée de travail à Bruxelles,
je m'étais laissé aller à suivre distraitement sur
une chaîne de télévision flamande un épisode
récent de *Star Trek*, diffusé en version originale
avec des sous-titres néerlandais. Dans les jours
qui suivirent, réfléchissant à la manière dont était
traitée l'anticipation au cinéma, je m'étais mis à
réfléchir à ce que pourrait être notre monde dans
un futur très lointain, cherchant à extrapoler les
évolutions possibles de l'humanité, afin de donner, dans un film d'anticipation idéal, un aperçu
réaliste du futur. C'était, en fait, exactement ce

qu'il ne fallait pas faire. C'était le contresens par excellence, que je ne cessais de dénoncer quand on me demandait de dire ce que l'avenir nous réservait. Mais, je n'allais pas m'arrêter en si bon chemin et j'ai poursuivi mes rêveries, sans m'arrêter à ce reproche (fondé) que j'aurais pu m'adresser. Si les conclusions auxquelles j'étais parvenu, en m'appuyant sur les plus récentes avancées de la science, ne présentaient sans doute pas grand intérêt (je les ai d'ailleurs assez vite oubliées), je n'étais pas mécontent de la conclusion à laquelle j'étais arrivé, qui était que, dans tous les éléments qu'on peut introduire dans un film de science-fiction, dans toutes les extravagances technologiques qu'on peut imaginer, les machines, les robots, les engins spatiaux et les déplacements interstellaires, les variations biotechnologiques et transhumaines, dans toute cette quincaillerie futuriste gorgée d'effets spéciaux, ce qui, finalement, était le plus efficace à l'écran, le plus véritablement stupéfiant — et même le plus crédible, et le plus émouvant — le plus merveilleux et le plus féérique, c'était les scènes de pluie.

En prospective stratégique, au plus loin qu'on se projette dans l'avenir, on réfléchit à des horizons de cinquante ans, on ne se porte jamais plus loin que l'an 2100, c'est notre temps long, c'est pour nous l'horizon indépassable. Mais la notion de temps long est très relative, les experts de l'AIEA, l'Agence internationale de l'énergie atomique, travaillent sur des déchets nucléaires qui ont un horizon de cent mille ans. Le problème, avec ces résidus radioactifs stockés à grande profondeur, c'est comment transmettre correctement l'information aux générations futures, comment signaler la présence dans le sous-sol de déchets nucléaires hautement toxiques qui ont une durée de vie de cent mille ans ou plus. En quelle langue, par exemple, faut-il rédiger les indications de localisation en surface ainsi que les recommandations techniques de traitement des déchets ? C'est peut-être un peu court de se contenter de répondre, comme je l'avais suggéré malicieusement lors d'une réunion en interne : « En chinois. » Aucune organisation humaine ne dure aussi longtemps. Le Vatican, une des plus anciennement constituée, ne dure que depuis le IVe siècle. D'un autre côté, dans le domaine des nouvelles technologies, six mois, c'est déjà le bout du monde, beaucoup de choses peuvent se passer en six mois dans des activités aussi rapidement évolutives. Lorsque j'ai travaillé avec des responsables informatiques de grands groupes industriels sur des questions de cybersécurité, ils ont eu du mal à se projeter à l'horizon 2020. Ils ont poussé de grands cris en protestant qu'ils ne pouvaient pas se transporter dans un avenir aussi chimérique (quatre ans, pour eux, cela paraissait des siècles).

Depuis quelques années, je travaillais sur l'ordinateur quantique, technologie en pleine évolution au sujet duquel on entend beaucoup de choses contradictoires. Il y a d'un côté ceux qui pensent qu'il s'agit d'une arlésienne qui ne se réalisera jamais, et, de l'autre, des chercheurs qui nous annoncent que c'est pour demain, qu'un ordinateur quantique universel sera opérationnel dans moins de dix ans. À brève échéance, le développement de l'ordinateur quantique pourrait nous faire passer dans une autre dimension, avec des puissances de déchiffrage qui seront susceptibles de casser des codes supposés inviolables et de bouleverser les principes mêmes de la cybersécurité. Après une première réunion d'experts au Berlaymont, nous avons décidé de nous pencher plus sérieusement sur la question. Un questionnaire extrêmement détaillé, divisé en seize sections (logiciels, financement, forces et faiblesses européennes, applications techniques, etc.), a été envoyé à deux cents experts à travers le monde. La méthode *real-time* Delphi est une variante de la classique méthode Delphi, qui permet de faire interagir les participants en temps réel, car, au fur et à mesure que les réponses nous parvenaient, elles étaient accessibles en ligne sur l'ensemble des ordinateurs des chercheurs participant à l'enquête, qui pouvaient modifier leurs réponses en conséquence. La première phase de la consultation était maintenant terminée. Le processus de dépouillement des réponses était en cours, et nous étions en train de les analyser pour produire notre rapport.

Mais la question qui, ces derniers temps, concentrait toute mon attention, c'était la blockchain. La blockchain est associée dans l'esprit du grand public au bitcoin. Mais de quoi s'agit-il exactement ? La blockchain, qui est une technologie de stockage, est l'équivalent d'un cahier de compte — un immense registre anonyme et infalsifiable — qui contient l'historique de toutes les transactions effectuées entre utilisateurs depuis sa création. Le travail de validation de ces blocs, qui consiste à être le premier à résoudre une équation mathématique complexe, s'appelle l'exploitation minière. Le premier domaine d'application de cette technologie, et de loin le plus connu, c'est la monnaie, avec l'essor fulgurant des cryptomonnaies ces dernières années, car le système, en créant de la confiance, permet de garantir la valeur d'une monnaie. En 2008, le bitcoin a fait une entrée, non pas spectaculaire, mais au contraire remarquablement discrète, sur la scène mondiale. La personnalité de Satoshi Nakamoto, son créateur, reste toujours mystérieuse. Le nom Satoshi Nakamoto est sans doute un pseudonyme, derrière lequel se cachent une ou plusieurs personnes, peut-être un groupe de manipulateurs invisibles, et son identité véritable demeure une énigme. Mais, en dehors de la cryptomonnaie, la blockchain peut également s'appliquer à bien d'autres domaines d'activité, et j'ai été chargé il y a quelques mois de rédiger un rapport sur les perspectives d'avenir de la blockchain pour le Parlement européen. Ce rapport, d'une cinquantaine de pages, rédigé en anglais (*Is blockchain technology our future ?*), j'en ai envoyé une première version à mon ami Peter Atkins, qui l'a lu et m'a suggéré une dizaine de modifications de détail, dont j'ai tenu compte pour la publication.

À l'automne 2016 eut lieu la présentation publique de mon rapport au Parlement européen. À la suite de quoi, j'ai été approché par des lobbyistes. Il est possible que ce soit d'un usage courant, mais, pour ma part, en plus de dix ans de carrière à Bruxelles (je suis entré à la Commission en 2004), je n'avais jamais été *ciblé* de la sorte. Certes, au cours des années, j'ai fréquenté de nombreux lobbyistes dans les allées du quartier européen. Rien, dans leur tenue ou leur vocabulaire, ne distingue les lobbyistes des fonctionnaires européens. Ils ont exactement la même apparence que nous, ils ont fait les mêmes études, ils connaissent parfaitement le fonctionnement des institutions. Comme tout le monde dans le milieu européen, ils parlent un anglais plus ou moins globalisé et partagent avec nous les mêmes conventions de langage, une langue codée impénétrable aux profanes, qui, comme l'argot à ses origines, a pour fonction de façonner le groupe et de renforcer sa cohésion. Les lobbyistes — qui préfèrent, pudiquement, se faire appeler « représentants d'intérêts » — sont d'ailleurs souvent d'anciens collègues recyclés dans le privé, qui, selon le plaisant vocable dit des portes tournantes, ont sauté le pas et sont passés de la lumière édénique de la Commission (qui défend, nul ne l'ignore, le bien commun) à l'ombre méphistophélique de la défense des intérêts privés. Les lobbyistes exercent des influences invisibles. Ils établissent des contacts secrets dans les hautes sphères, ils pilotent des initiatives souterraines et manœuvrent en sous-main pour établir, dans les dossiers qu'ils suivent, des arbitrages favorables, si ce n'est aux intérêts privés qu'ils défendent, à l'intérêt commun, qu'ils vénèrent. Au nombre de trente mille à Bruxelles, presque autant qu'à Washington, la ville au monde qui en compte le plus, les lobbyistes sont obligés, dans l'exercice de leurs fonctions, de présenter en toutes circonstances une mine avenante et un sourire courtois (a-t-on déjà vu des aigrefins antipathiques ?).

Après la présentation de mon rapport en septembre, je fus donc abordé par deux hommes dans les couloirs du Parlement européen, et cela aurait très bien pu s'arrêter là tout de suite, j'étais bien décidé à ne pas donner suite à leur requête. Continuant de progresser vers la sortie, des documents sous le bras, je traversais la foule en les écoutant distraitement, tandis qu'ils me félicitaient pour mon intervention et se disaient particulièrement intéressés par l'annonce que je venais de faire du développement d'une blockchain européenne. Désireux d'en savoir davantage, ils souhaitaient me revoir dans les prochains jours pour approfondir la question. Me méfiant d'eux instinctivement, je les avais renvoyés à l'appel d'offres émis par le Centre commun de recherche. Patients, souriants, ne se décourageant pas, les deux hommes continuaient de marcher courtoisement à mes côtés dans les couloirs du Parlement sans relâcher la pression. Ils se permettaient d'insister poliment et m'expliquaient qu'ils travaillaient pour de très gros clients internationaux, et en particulier asiatiques. J'étais pressé ce jour-là (un taxi m'attendait place du Luxembourg), et je me contentai d'un échange de cartes de visite avant de prendre congé. Dans le taxi, je jetai un rapide coup d'œil sur les cartes qu'ils m'avaient laissées, avec leurs noms et leurs fonctions qu'accompagnait un logo ésotérique. Ils travaillaient pour une société de conseil basée à Bruxelles qui s'appelait XO-BR Consulting, l'un d'eux s'appelait John Stavro-poulos et l'autre Dragan Kucka. Je rangeai les cartes de visite dans la poche de ma veste sans plus y penser. Dans les jours qui suivirent, je fus à nouveau contacté par ce John Stavropoulos, qui se permettait de revenir à la charge pour obtenir un rendez-vous. J'éludai encore une fois la demande, plus mollement cette fois, quand même intrigué par la mention du terme « block-chain » qui apparaissait dans le nom du cabinet pour lequel il travaillait, *Consulting company for the development of blockchain and digital currencies*. Il me répéta que XO-BR Consulting était une société de conseil spécialisée dans le développement de la technologie blockchain, et il m'assura que sa société connaissait mieux que personne le marché européen. D'après lui, ils étaient sans doute les seuls, à Bruxelles, à pou-voir fournir une blockchain cent pour cent euro-péenne, et, qui plus est, développée exclusi-vement sur le continent, sans être obligés d'avoir recours aux grands groupes américains ou chinois. Je l'écoutais, pensif, au téléphone. Je m'étais levé et je réfléchissais, le regard fixé au loin sur un groupe d'immeubles dans la grisaille que j'apercevais à travers la baie vitrée de mon bureau. Cela faisait plusieurs mois que je réfléchissais à la nécessité cardinale pour l'Europe de développer de façon autonome sa propre technologie blockchain. Il était indispensable pour nous, dans un domaine technologique aussi sensible, de nous affranchir de la dépendance envers la Chine et les États-Unis. C'était un enjeu géopolitique majeur de demain. À terme, c'est la gestion de nos ressources, de notre santé et même de notre sécurité qui pourrait être administrée par la technologie blockchain. L'Europe ne pouvait pas se payer le luxe de dépendre dans ce domaine de la Chine ou des États-Unis (la prétendue neutralité de la technologie n'est évidemment qu'un leurre). C'est pourquoi, malgré la méfiance que m'inspirait John Stavropoulos, j'étais tellement captivé par ce qu'il était en train de m'expliquer. Curieux d'en savoir davantage sur les activités de XO-BR Consulting, je finis par accepter un premier rendez-vous.

À partir de ce rendez-vous initial, ayant en quelque sorte été hameçonné, je revis plusieurs fois John Stavropoulos et Dragan Kucka. Je les voyais toujours discrètement, sachant pertinemment que les voir allait à l'encontre des usages de la Commission, qui interdit expressément d'entretenir des relations non déclarées avec des lobbyistes. Lors du premier rendez-vous, j'étais demeuré sur mes gardes. J'avais pris soin de ne rien avancer, et de ne livrer aucune information confidentielle. Je n'avais, pour ma part, qu'une expérience théorique de la blockchain. C'est dans mon bureau que j'y avais réfléchi, en consultant de la documentation, en lisant des rapports. Alors que Stavropoulos et Kucka avaient de la blockchain une expérience sur le terrain. Ils connaissaient parfaitement les sociétés impliquées dans le secteur, ils avaient des contacts étroits avec leurs dirigeants. C'est pour me rapprocher de cette expérience concrète que je voulais continuer de les voir. En réalité, pour être tout à fait précis, les deux lobbyistes qui s'occupaient de moi étaient trois (et même quatre, comme les trois mousquetaires), tous les quatre accrédités auprès de la Commission et ayant un accès libre au Parlement. Je ne les voyais jamais ensemble, mais selon différentes configurations qui m'échappaient, le plus souvent j'avais affaire au couple originel, Stavropoulos et Kucka, les deux oiseaux qui étaient venus me trouver le premier jour à l'issue de ma présentation au Parlement. Mais, au troisième rendez-vous, je les vis arriver à trois, un type très maigre s'était joint à eux qui n'ouvrit pas la bouche, puis une femme, qui me fut présentée comme Yolanda Paul, jolie jeune femme, trench-coat, foulard, lunettes de soleil. Sur sa carte de visite apparaissait sa fonction, *Senior Managing Director Financial Services, Growth & Strategy*, titre ronflant qui n'éclairait pas beaucoup ma lanterne sur ce qu'elle faisait exactement. Je ne parvenais pas non plus à savoir précisément de quelle nationalité elle était, ni son nom (Yolanda Paul), ni son accent (l'accent qu'elle avait en anglais, car nos conversations avaient toujours lieu en anglais) ne me permettaient d'y voir plus clair. Surtout, je ne comprenais pas quel rôle elle jouait au sein du groupe, était-elle la supérieure hiérarchique des deux autres et s'était-elle déplacée pour les contrôler, ou bien entendait-on lui voir jouer un rôle plus ambigu auprès de moi, pour ne pas dire plus sexuellement explicite (je m'attendais à tout). En tout cas, une fois, elle parvint à me voir seul. Je venais de sortir de mon bureau, et j'aperçus sa silhouette qui me guettait sur le trottoir d'en face. Elle se mit en mouvement et traversa la rue obliquement pour me rejoindre et me proposer d'aller boire un verre dans le quartier. Je remarquai qu'elle était maquillée et habillée avec recherche, de manière élégante et seyante. Nous entrâmes dans le premier café venu, et elle m'exposa en détail les visées de sa société, qui jouait un rôle d'intermédiaire entre des entreprises d'Europe de l'Est et de gros clients chinois. Elle me laissa son numéro de téléphone privé, et me demanda de la rappeler pour dîner un soir ensemble. Mais je ne donnai pas suite. Je n'acceptais de les voir, elle et les autres, que confidentiellement. J'évitais autant que possible d'apparaître avec eux en public. Depuis le début, j'avais pris soin de n'agir qu'à titre strictement personnel, sans engager le moins du monde le Centre commun de recherche. Je ne les reçus évidemment jamais dans mon bureau, où tous les rendez-vous sont consignés par la sécurité. Je n'avais rien signé ni rien promis. Je ne m'étais, en aucune manière, engagé avec eux.

Dès le premier rendez-vous, John Stavropoulos m'avait fait savoir que leur cabinet de conseil représentait les intérêts d'une société d'informatique bulgare qui s'appelait Kaliakras Ltd., société qui travaillait dans les domaines de la défense et de la sécurité, qui avait selon lui un fort potentiel de développement. Il ajouta — entre nous, sous le sceau du secret — que sa société, XO-BR Consulting, avait d'excellents contacts avec les autorités au plus haut niveau, à la fois avec un ministre bulgare en exercice (il ne pouvait pas m'en dire plus) et à la Commission européenne. Au terme de plusieurs rendez-vous, j'avais commencé à y voir plus clair. Pour répondre à un appel d'offres de la Commission, la société bulgare d'informatique Kaliakras Ltd. avait l'intention d'acheter du matériel informatique de minage (cinq cents machines à miner ASIC, *Application-specific integrated circuit*) auprès de la société BTPool Corporation, une société chinoise basée à Dalian, en vue de développer son activité dans la région d'Haskovo ou de Plovdiv, en Bulgarie, le choix du site n'était pas encore définitivement arrêté. Pour ce faire, Kaliakras Ltd. envisageait de solliciter auprès de la Commission européenne des fonds d'innovation régionaux et d'introduire des demandes de financement de recherche. Les dossiers de demande d'aides étaient prêts, c'est la raison pour laquelle ils avaient fait appel à moi, pour relire et vérifier ces dossiers, éventuellement les amender pour les mettre en conformité avec la législation européenne. En somme, à cette étape, ce qu'ils attendaient de moi, c'était des prestations de conseil juridique, en toute discrétion. Mais plusieurs éléments, dès le départ, m'avaient paru suspects. Une des premières constatations intrigantes que j'avais faites en furetant sur internet, c'est que la société XO-BR Consulting n'était pas inscrite au registre de transparence de la Commission européenne, auquel les cabinets de lobbying sont en principe tenus de s'enregistrer. La deuxième découverte curieuse que je fis, c'est que, si la société bulgare Kaliakras Ltd. apparaissait bien au grand jour et avait en quelque sorte pignon sur net, avec un site officiel en anglais, les traces de la société chinoise BTPool Corporation étaient beaucoup plus difficiles à suivre et se perdaient dans des ramifications opaques. Selon certaines sources, c'était une filiale de ViaBTC, selon d'autres, elle évoluait dans la galaxie de Bitmain Technologies, le principal géant chinois de la fabrication de matériel informatique de minage. Quant au rôle exact de XO-BR Consulting, il demeurait énigmatique.

Avec le temps, j'étais devenu impatient de ces conversations, qui me sortaient du train-train quotidien de mes travaux de prospective sur le futur de l'industrie, dans des secteurs aussi affriolants que le textile équitable ou les métaux non ferreux. Je me surprenais à guetter les nouveaux rendez-vous, et même à les attendre impatiemment, consultant mon téléphone sans arrêt, et me morfondant au bureau si je ne recevais aucun message pendant plusieurs jours. Certes, j'avais conscience du danger qu'ils pouvaient représenter pour moi, et je demeurais sur mes gardes. Mais je voulais continuer à les voir pour mieux comprendre le rôle que chacun des protagonistes jouait dans cette transaction à trois bandes. Peu à peu, j'avais dénoué patiemment les fils de cette perruque particulièrement emmêlée et j'avais pu déterminer le rôle de chacun des protagonistes. Si j'avais bien compris, le rôle officiel de XO-BR Consulting était de servir d'intermédiaire entre la société bulgare Kaliakras Ltd. et la société chinoise BTPool Corporation pour l'acquisition de machines de minage. Un intermédiaire était en effet nécessaire pour l'opération, dans la mesure où l'achat ne pouvait pas se faire directement auprès d'un fournisseur non européen, en l'occurrence chinois, la Commission privilégiant toujours des sociétés établies dans l'Union européenne. Dans cette transaction, XO-BR Consulting, qui représentait les intérêts de la société bulgare Kaliakras Ltd., était chargée d'acheter, en leur nom, des machines informatiques de minage en Chine, machines que Kaliakras Ltd. revendrait ensuite à la Commission européenne, dans le cadre de l'appel d'offres qui avait été émis. Mais ce que je ne parvenais pas à établir, c'était ce qui liait exactement XO-BR Consulting à la société chinoise BTPool Corporation. Travaillaient-ils aussi pour BTPool Corporation ? Représentaient-ils également ses intérêts ? En d'autres termes, John Stavropoulos jouait-il double jeu ?

La façon dont, jusqu'ici, les rendez-vous s'étaient déroulés, dans l'ombre feutrée et chuchotante de bars de grands hôtels bruxellois anonymes, était très différente des rendez-vous conventionnels que je pratiquais dans mes fonctions à la Commission. John Stavropoulos, qui menait la danse avec souplesse et habileté, était devenu mon interlocuteur privilégié, le seul pour ainsi dire, les autres s'estompant progressivement pour ne plus tenir à côté de lui que des rôles de figurants ou de comparses. John Stavropoulos, physique d'acteur, avec sa sempiternelle gabardine beige et ses cheveux blonds ondulés qui tiraient sur le roux, avait un physique démodé et presque anachronique. Il portait de fines moustaches, relevées aux extrémités, qu'il devait enduire de gel pour façonner souplement entre ses doigts le tranchant effilé des crocs. Les lèvres boursouflées, le teint pâle et le visage hautain, il avait une allure de monarque espagnol peint par Vélasquez, avec cette morgue molle dans le menton, cette lassitude boudeuse, distante, aristocratique, cette rouerie un peu éteinte. Parfois, quand il vous regardait fixement de ses yeux globuleux, on pouvait craindre qu'il n'allât tenter de vous hypnotiser sur le sofa. Puis, ses traits se relâchaient, et il vous adressait un sourire enjôleur qui faisait fondre l'expression de dureté qui recouvrait ses traits quelques instants plus tôt.

Il n'avait pas son pareil pour mettre les gens en confiance et créer une atmosphère de sociabilité mondaine propice aux confessions intimes et aux confidences professionnelles. Il se montrait patient en toutes circonstances, conciliant, compréhensif. Il devinait toujours les réserves que je pouvais exprimer, les comprenait, les acceptait de bonne grâce. Sans que rien ne fût jamais explicite, ce qu'il voulait obtenir de moi (sans y parvenir, pour l'instant), c'était un simple accord verbal, une promesse informelle, rien d'écrit, pas de traces, pas de contrat, pas de signature. En réalité, je n'avais jamais pensé sérieusement accepter son offre. Même s'il m'assurait vouloir respecter scrupuleusement la législation européenne et rester dans la stricte légalité — dans la stricte légalité, insistait-il —, cette façon de brandir sans cesse la légalité, et qui plus est la stricte légalité (dans son esprit, j'imagine, la stricte légalité était plus légale que la simple légalité), n'avait rien de particulièrement persuasif. Mais je ne fermais jamais complètement la porte. Je ne disais pas non, j'observais, je gagnais du temps. Comme je continuais à hésiter, John Stavropoulos, qui ne manquait pas de ressources, finit par me suggérer de me rendre personnellement à Sofia et ensuite en Chine pour rencontrer les dirigeants des sociétés concernées. Dans les affaires, partout dans le monde, rien ne remplace jamais le contact humain, m'expliquait-il, il faut toujours privilégier les relations personnelles, c'est très important que les gens se rencontrent. Je lui répondis froidement qu'il était hors de question que je rencontre qui que ce soit de chez Kaliakras Ltd. Je lui rappelai que, pendant la période d'appel d'offres, je ne pouvais prendre aucun contact avec des sociétés susceptibles d'emporter le marché, ce qui pouvait être le cas de la société Kaliakras Ltd. Il dut bien l'admettre. Puis, après réflexion, il me fit remarquer que, par contre, rien ne m'empêchait de rencontrer les dirigeants chinois. Il me dit qu'il connaissait personnellement Gu Zongqing, le directeur général de BTPool Corporation, qui serait certainement disposé à me recevoir à Dalian pour me faire découvrir ses installations. Et, pour achever de me convaincre, il me rappela que la société BTPool Corporation n'avait rien à voir avec l'appel d'offres de la Commission. Il n'y avait donc pour moi aucun risque de conflit d'intérêts. N'est ce pas ? Voulez-vous que je vous arrange un rendez-vous à Dalian ? me demanda-t-il sur un ton badin, comme s'il m'invitait à prendre un deuxième café.

John Stavropoulos était un personnage sympathique, il avait quelque chose d'envoûtant et de séducteur. Il était de ces personnes qui donnent l'impression, dans la vie réelle, d'évoluer dans un univers de fiction, et sa présence romanesque en face de moi paraissait détonner ce jour-là dans le décor du Thon Hotel Bristol Stephanie, où il m'avait donné rendez-vous. C'était un hôtel improbable de l'avenue Louise, fréquenté par une clientèle moyen-orientale. Mais, à cette heure, les salons étaient déserts. Lorsque nous étions ensemble, John Stavropoulos essayait de faire oublier le côté professionnel de notre rencontre pour m'entraîner sur un terrain plus personnel, presque privé, comme si nous étions d'anciens camarades d'université qui trouvions le temps de prendre un café ensemble entre deux rendez-vous. Il savait arrondir les angles et n'hésitait jamais, pour renforcer la complicité qu'il essayait d'établir entre nous, à glisser une allusion personnelle, évoquant par exemple l'association Futuribles, où j'avais travaillé dans les années 1990 avant d'entrer à la Commission européenne. Et quelle ne fut pas ma surprise quand, au détour d'une phrase, passant de l'anglais au français, il me parla incidemment avec son accent impossible de la « *roue sainte gaï home* » (sur le moment, je ne compris même pas que c'était de la rue Saint-Guillaume qu'il me parlait). J'ai même oublié ce qu'il avait dit avant, la rue Saint-Guillaume semblait avoir surgi dans la conversation hors de tout contexte cohérent.

J'avais cessé de bouger, mon regard s'était fixé. J'étais là, en cet après-midi pluvieux d'octobre à Bruxelles en compagnie de John Stavropoulos dans les salons de ce Thon Hotel Bristol Stephanie, et je demeurais songeur, tandis que, lentement, des souvenirs de ma jeunesse à Paris faisaient irruption dans mes pensées. Car, la rue Saint-Guillaume, pour moi, plus encore que pour n'importe quel ancien étudiant de Sciences Po, avait une signification singulière, car elle évoquait à la fois l'immeuble du 27 rue Saint-Guillaume, où se trouve l'Institut d'études politiques où j'ai fait mes études, mais elle évoquait surtout pour moi, et pour moi seul — et comment John Stavropoulos pouvait-il le savoir ? — la maison du 12 rue Saint-Guillaume, où j'ai vécu pendant plus de quinze ans avec mes parents dans les années 1970.

C'est en effet à cette adresse, au 12 rue Saint-Guillaume, que mes parents se sont établis au milieu des années 1970, quand toute la famille a quitté Bruxelles, où nous vivions jusqu'alors, pour déménager à Paris lorsque mon père a été nommé à l'Unesco. J'ignore comment John Stavropoulos avait pu avoir connaissance de ces détails de ma biographie, mais son évocation de la rue Saint-Guillaume, simple allusion ou vraie insinuation calculée, m'avait déstabilisé. J'avais le sentiment désagréable qu'il avait placé cette allusion pour me signifier qu'il n'ignorait rien de moi, et qu'il tenait à me le faire savoir, pour me faire comprendre que mon choix d'accepter ou non sa proposition était peut-être plus limité que je ne le pensais. Je me rendais compte pour la première fois avec autant de netteté que, derrière sa faconde et ses rondeurs, il y avait quelque chose de glaçant dans l'attitude de John Stavropoulos. Il devenait clair maintenant, dans mon esprit, que, avant de me rencontrer, il s'était renseigné sur moi. Il avait dû enquêter méticuleusement sur mon passé et il connaissait de nombreux détails de ma vie privée (peut-être même plus que je ne pouvais le soupçonner), dont il n'hésiterait pas à se servir contre moi, si le besoin s'en faisait sentir. Mais ce qui me mit encore plus mal à l'aise, lors de ce même rendez-vous, c'est une allusion qu'il fit à mon père, qui me parut déplacée, et même inconvenante. Il est vrai que mon père était pour moi un sujet sensible (et sans doute pas seulement pour moi, il en est toujours ainsi des relations entre les pères et les fils). La conversation était revenue sur les politiques de soutien à la recherche, et nous étions en train de faire le tour des organismes publics qui octroient ces fonds de recherche en Europe, quand John Stavropoulos fit une allusion directe à mon père. Jean-Yves Detrez, c'est bien votre père, n'est-ce pas ? me dit-il. Pensez-vous qu'il serait envisageable — et il s'interrompit tout de suite, peut-être arrêté par la fixité noire de mon regard. Et je compris que, certes avec prudence, sans vouloir formuler explicitement une requête inopportune, il venait de tâter le terrain pour voir s'il ne serait pas possible d'impliquer également mon père dans ce dossier — mon père, Jean-Yves Detrez, qui, dans le passé, avait été commissaire européen à la recherche. Mais il se ressaisit tout de suite, et enchaîna. Comment se porte votre père, me dit-il, il est toujours de ce monde ? Je répondis que oui, que mon père était toujours vivant, et, sans entrer dans les détails, pour quitter ce terrain et changer de sujet de conversation, je dis, de façon neutre, automatique, dans une formule parfaitement convenue, qu'il allait bien.

Dans les jours qui suivirent ce rendez-vous, je n'entendis plus parler de John Stavropoulos. Je me replongeai dans le travail quotidien. Je passais de longues journées au bureau, où je suivais l'évolution des dossiers en cours, les études de longue haleine sur la sécurité alimentaire ou le futur des migrations. J'annotais les derniers rapports d'étape, je recevais les équipes dans mon bureau. À cette somme de travail déjà considérable vint s'ajouter la préparation de l'atelier sur l'ordinateur quantique qui devait évaluer les premiers résultats du dépouillement du questionnaire Delphi. Ce travail sur le quantique était mené conjointement avec une unité basée à Ispra, en Italie, qui travaillait avec nous sur les questions de cybercriminalité. Je me rendais à Ispra en général une ou deux fois par an. Le site, qui appartient au Centre commun de recherche, compte une centaine de bâtiments et laboratoires répartis sur un grand terrain sécurisé qui s'étend sur plusieurs hectares à l'écart du village, en bordure du lac Majeur. Près de deux mille personnes travaillent là, fonctionnaires européens, chercheurs et experts scientifiques venus de toute l'Europe. Comme mon emploi du temps était déjà surchargé et ne me permettait pas d'envisager un déplacement à Ispra dans la semaine à venir, je réglai les modalités de la préparation de l'atelier par visioconférence. Une vingtaine de participants étaient attendus à Bruxelles pour cet atelier sur l'ordinateur quantique, qui devait se tenir dans nos murs, et c'était à nous, en tant que puissance invitante, qu'incombait la responsabilité de régler la logistique et de préparer le programme de la rencontre.

Je travaillais toute la journée sur l'avenir. L'avenir, pour moi, était devenu une notion parfaitement abstraite, une simple donnée que j'intégrais à mon travail, avec les outils dont je disposais pour le modéliser et le traiter de manière spéculative, dans un cadre délimité, et des règles précises. J'étais devenu un expert de l'avenir, mais de l'avenir de l'alimentation, de l'avenir de l'Otan — de l'avenir du monde, jamais de mon propre avenir. Si on m'avait demandé, à ce moment-là, de penser un instant à mon propre avenir, à ce que me préparaient les prochains mois ou les prochaines années, si on m'avait demandé de dire ce que me réservait le futur, ce que je serais dans vingt ans, ou même dans deux ans, j'aurais été bien incapable de répondre. J'avais le sentiment de n'avoir plus d'avenir personnel. Mon horizon, depuis que mon mariage avec Diane était en train de sombrer, me semblait irrémédiablement bouché. Depuis des mois, je me sentais enlisé dans un présent perpétuel. Nous ne nous parlions plus avec Diane, nous ne nous parlions plus depuis l'été (et même avant, je me demande si nous nous étions jamais parlé). Notre couple s'était progressivement défait au cours des années. Notre mariage, ou ce qu'il en restait, finissait de se déliter. Depuis bientôt deux ans, nous vivions côte à côte, comme des ombres, en étrangers, dans le grand appartement de la rue de Belle-Vue, avec Thomas et Tessa, nos jumeaux, qui allaient à l'école élémentaire et qu'on se répar-

45

tissait pendant les vacances (on pourrait en prendre chacun un, avais-je suggéré, mais cela n'avait
pas fait rire Diane, elle m'avait regardé avec une
mine consternée). Je ne faisais pas rire Diane,
je ne la faisais pas rire du tout, elle avait même
oublié que j'avais pu un jour la faire rire. Au
début de l'été, dans un sursaut d'énergie, pour
faire quelque chose, pour réagir, comme si je
m'étais soudain ébroué pour sortir de cette torpeur délétère où je m'enfonçais, j'avais cherché
un nouveau logement dans le quartier et j'avais
trouvé un studio place du Châtelain, où je m'étais
installé. Depuis septembre, je vivais seul dans ce
studio. Diane n'était plus mon avenir.

Mon dernier rendez-vous avec John Stavropoulos prit un tour inattendu. J'étais au bureau,
un matin, quand le téléphone vibra dans ma
poche pour m'annoncer l'arrivée d'un SMS. Je
n'étais pas seul dans la pièce, et j'attendis le
départ de mon visiteur pour lire le message. John
Stavropoulos m'avait écrit : « Sofitel Brussels
Europe 4 p.m. ? » C'était sa manière à lui, j'imagine, succincte, de me demander si j'étais libre
cet après-midi pour prendre un verre au Sofitel
de la place Jourdan, parce qu'il avait quelque
chose d'important à me dire. Tout ceci exprimé
dans la formule laconique « Sofitel Brussels
Europe 4 p.m. ? ». Il n'y avait rien d'impératif

dans le message, ce n'était pas une sommation ni une convocation, le point d'interrogation me laissait une marge de manœuvre et me permettait même de décliner l'invitation, si je n'étais pas libre ou si je ne voulais plus le voir. Je me demandais ce que John Stavropoulos avait à me dire de nouveau, et cette pensée occupa mon esprit tout au long de la matinée. J'y repensai encore occasionnellement l'après-midi. J'avais un rendez-vous au bureau à 15 heures avec un spécialiste de la technologie quantique. Mais, après, par chance, mon agenda n'indiquait plus aucun rendez-vous ni obligation professionnelle, et vers 15 heures 30, après avoir raccompagné jusqu'à l'ascenseur l'expert que j'avais reçu, je remis mon manteau et dis à mon assistante que je sortais et que je ne repasserais sans doute plus au bureau de la journée. Je quittai l'immeuble et me dirigeai à pied vers la place Jourdan. Il pleuvait. Je marchais lentement, progressant sous mon parapluie en continuant de me demander ce que John Stavropoulos avait à m'annoncer.

Lorsque j'entrai dans le bar du Sofitel, j'aperçus tout de suite John Stavropoulos, qui se souleva de son siège et me fit un signe à distance pour attirer mon attention. Il était accompagné de Dragan Kucka, les deux hommes étaient assis côte à côte dans un canapé, en face d'une table basse sur laquelle reposaient des cafés. John Stavropoulos avait enlevé sa gabardine, qu'il avait posée à côté de lui sur le bras du canapé. Dragan Kucka, à côté de lui, tenait à la main une cigarette électronique éteinte, qui n'en dégageait pas moins dans l'atmosphère d'écœurants relents de noix de coco aseptisés. Le bar du Sofitel était quasiment désert en ce milieu d'après-midi, un maître d'hôtel désœuvré somnolait derrière le comptoir. J'allai les rejoindre, je pris place en face d'eux sur un fauteuil. À travers la baie vitrée, on devinait la place Jourdan dans la bruine. Quelques lumières étaient allumées dans les cafés, une voiture se garait dans la grisaille. John Stavropoulos me fit savoir qu'il avait deux bonnes nouvelles à m'annoncer. La première était qu'il avait parlé au téléphone à Gu Zongqing, le directeur général de BTPool Corporation. Il avait eu l'occasion de lui parler de moi, dans les meilleurs termes apparemment, car Gu Zongqing serait enchanté de faire ma connaissance. Il vous attend à Dalian au début de l'année, me dit-il. Il se tut, satisfait de son annonce. Je ne répondis rien. Dragan Kucka, qui suçotait l'embout de sa cigarette électronique éteinte qu'il avait replacée entre ses lèvres, répondit, à ma place, et avec sans doute l'entrain qu'on espérait de moi, que c'était là une formidable occasion à saisir (de l'avantage d'être deux, pour se relancer

48

mutuellement la balle). Je ne disais toujours rien. J'attendais la suite. John Stavropoulos, sans se laisser entamer par mon manque d'enthousiasme, abattit alors sa deuxième carte. Après consultation de sa hiérarchie, il avait le plaisir de m'annoncer que mes frais de voyage et d'hébergement en Chine seraient intégralement pris en charge par BTPool Corporation. La conversation commençait à prendre un tour qui me déplaisait. Toutes ces cartes que je le voyais sortir devant moi de sa manche comme un prestidigitateur roué, j'en percevais la vraie nature, c'était des cartes misérables, des cartes truquées d'un jeu de dupes véreux. Comment qualifie-t-on le fait d'offrir un voyage à l'étranger tous frais payés à un fonctionnaire européen dans l'exercice de ses fonctions — si ce n'est une tentative de corruption ? J'avais cessé de sourire, mon regard s'était rembruni. Je me sentis soudain mal à l'aise. J'ai toujours eu un sens aigu de la déontologie. Je le tenais de mon père, qui est l'homme le plus droit, le plus intègre qui se puisse imaginer. Je savais pourtant très bien que je n'avais rien à me reprocher. Je n'avais jamais accepté d'argent de personne et je n'en accepterais jamais. Mais le simple fait d'avoir laissé ces deux intermédiaires m'approcher et de les avoir fréquentés pendant des semaines sans en référer à personne, ni à mon entourage ni à ma hiérarchie (aucun collègue n'était dans la confidence et personne ne savait que je les fréquentais), me mettait, de facto, dans une position embarrassante. Mon attitude n'avait sans doute rien d'illégal, mais elle pouvait être considérée comme une attitude moralement répréhensible. C'est comme ça que je la percevais à présent, c'est comme ça que mon père l'aurait perçue, s'il avait été informé de la situation. Je continuais de ressasser ces sombres pensées sans rien dire, en contemplant fixement la place Jourdan à travers la baie vitrée. Plus que jamais, je sentais que c'était là mon dernier rendez-vous avec John Stavropoulos. Malgré ma curiosité, qui restait intacte, malgré l'envie d'en savoir plus, qui n'avait pas faibli, j'allais sans doute briser net et mettre un terme définitif à nos relations. Et, de fait, ce serait bien mon dernier rendez-vous avec John Stavropoulos. Mais pas comme je l'avais imaginé, jamais je n'aurais pu prévoir la suite des événements.

Nous ne dîmes plus un mot sur le voyage en Chine. Je crois que John Stavropoulos avait compris que je n'accepterais jamais l'invitation et qu'il était inutile d'insister. Il avait un instinct très sûr pour savoir quand il était utile de continuer à pousser une position et quand il ne servait à rien de s'obstiner. Dragan Kucka, quant à lui, ne disait rien, se contentant de suçoter prétentieusement l'embout de sa cigarette électronique éteinte dans le canapé. L'entretien dura encore une dizaine de minutes. Nous n'avions plus rien à nous dire. Nous avions terminé nos cafés, la conversation languissait. L'entrevue était sur le point de s'achever. Dragan Kucka se leva le premier, remit son manteau et se dirigea vers le comptoir pour demander au maître d'hôtel où se trouvaient les toilettes. Le maître d'hôtel lui indiqua qu'il fallait ressortir du bar, et prendre à gauche dans le hall de l'hôtel, mais qu'une clé était nécessaire, et il lui tendit la carte magnétique indispensable pour y accéder. John Stavropoulos demeura un instant assis avec moi, suivant distraitement des yeux Dragan Kucka qui quittait le bar. Puis, comme le rendez-vous était terminé, il se leva à son tour. Il était songeur, il avait bien conscience que les choses ne s'étaient pas déroulées comme il l'avait espéré. Il mit sa gabardine, lentement, avec soin, et se pencha vers le guéridon pour ramasser les tickets de caisse. Il s'empara des deux tickets, le sien et le mien, et me dit qu'il m'invitait. Il le dit d'autorité, avec un regard dur, comme s'il voulait amorcer un bras de fer symbolique. Jusqu'à présent, je ne l'avais jamais laissé m'inviter. J'avais toujours refusé qu'il m'offre, ne fût-ce qu'un café. J'avais toujours tenu, par principe, à payer ma part. Mais il ne me laissa pas le temps de protester, il m'avait mis devant le fait accompli. Je le regardais. Il était debout devant moi, les deux tickets de caisse à la main, et je pensai, puisque c'était la dernière fois (croyais-je) que j'aurais affaire à lui, que je pouvais bien céder sur ce point et lui laisser ce petit plaisir d'amour-propre de m'offrir ce café. Il porta la main à sa poche pour payer et en sortit une pleine liasse de billets, il devait bien y avoir une vingtaine de billets de 50 €. J'avais posé le regard sur la liasse, et John Stavropoulos, s'en rendant compte, soudain soucieux — l'argent liquide ne se montre pas aussi ostensiblement —, se ravisa aussitôt et remit la liasse dans sa poche pour, discrètement, en triturant les billets mine de rien au fond de sa poche, détacher un seul billet de 50 €, qu'il fit apparaître à l'air libre. Si, un jour, il devait essayer de me corrompre, l'argent serait sans doute transmis plus discrètement, vraisemblablement échangé à l'abri des regards dans une enveloppe fermée qu'il me ferait parvenir clandestinement. Il se dirigea alors vers le bar pour payer les consommations. Je me souviens parfaitement du déroulement de la scène, je me la suis remémorée plusieurs fois par la suite pour essayer de reconstituer précisément comment les choses s'étaient passées. John Stavropoulos attendait sa monnaie au comptoir. Dragan Kucka reparut dans le bar et alla restituer la carte magnétique au maître d'hôtel. Puis, ils prirent congé de moi. Réfléchissez, la proposition tient toujours, me dit John Stavropoulos en me serrant la main, et ils s'éloignèrent, je les vis passer la porte et s'engager dans le hall. Ce n'est qu'alors que je me rendis compte qu'il y avait une clé USB sur la moquette.

Je m'étais rassis dans mon fauteuil, je n'avais pas ramassé la clé USB. Elle se trouvait là par terre devant moi, noire sur le noir anthracite de la moquette, à l'endroit où John Stavropoulos s'était levé quand il avait sorti la liasse de la poche de son pantalon (c'est à ce moment-là, sans doute, qu'elle avait dû tomber de sa poche). C'était un vieux modèle de clé USB, avec un connecteur rétractable, et elle passait quasiment inaperçue abandonnée sur la moquette. Je jetai un coup d'œil latéral vers le comptoir, où le maître d'hôtel se tenait près de la caisse. Puis, je me retournai complètement sur mon fauteuil pour observer le hall d'entrée du Sofitel qu'on apercevait à travers la porte ouverte du bar. La porte tambour de l'entrée principale était déserte, il n'y avait plus trace des deux hommes qui venaient de quitter les lieux. Je jetai un nouveau regard au maître d'hôtel, il ne faisait pas attention à moi, et, d'un coup, je me penchai pour ramasser la clé USB. Dans le même mouvement, je l'escamotai discrètement entre mes doigts, je refermai la main dessus pour la dérober aux regards. Je me redressai dans mon fauteuil et me retournai à nouveau derrière moi vers le hall du Sofitel, soudain nerveux, fébrile, inquiet de voir revenir les deux hommes. Si, au lieu de partir immédiatement, ils s'étaient attardés un instant dans le hall, ils avaient très bien pu observer mon manège, et j'allais maintenant les voir surgir d'un instant à l'autre devant moi pour me demander des explications. Je n'osais plus bouger, je demeurais assis, raide, sur mon siège, la clé USB dissimulée dans ma main droite. Je jetai un coup d'œil sur la place Jourdan à travers la baie vitrée, et c'est alors que j'aperçus de nouveau les deux hommes, qui traversaient la rue sous la pluie. Ils se faufilèrent entre les véhicules, une dizaine de voitures étaient garées là. Dragan Kucka tendit le bras pour déverrouiller à distance les portes d'une Mercedes grise, dans laquelle ils prirent place tous les deux. Une voix, derrière moi, me fit sursauter, c'était le maître d'hôtel qui me demandait s'il pouvait débarrasser. J'acquiesçai, sans un mot, et je le suivis distraitement des yeux. Lorsque je regardai à nouveau dehors par la vitre, la Mercedes n'avait pas bougé, elle était toujours garée au même endroit, mais on devinait maintenant l'ombre des deux hommes derrière le pare-brise. Je sentis alors mon téléphone vibrer, je le sentais vibrer contre ma cuisse, il vibrait dans la poche de mon pantalon de façon brûlante, impérieuse, répétitive, quelqu'un cherchait à me joindre. Sortant le téléphone de ma poche, je le portai à mes yeux et je vis apparaître sur l'écran les initiales de John Stavropoulos. Avant de répondre, avant de dire le moindre mot, je me tournai vers la fenêtre et regardai de nouveau la Mercedes grise garée sur le parking. Je plissai les paupières pour mieux voir à distance, et, derrière le pare-brise couvert de pluie, que balayaient lentement les essuie-glaces, je devinais la silhouette de John Stavropoulos au téléphone dans l'ombre de l'habitacle. Je me reculai instinctivement sur mon siège pour éviter qu'il pût se rendre compte de ma présence derrière les vitres du bar (si moi je pouvais le voir, lui aussi devait pouvoir m'apercevoir, s'il portait le regard dans la bonne direction). Allô, dis-je. J'entendis alors dans les profondeurs du téléphone la voix étouffée de John Stavropoulos qui me demanda sans préambule si je n'avais pas trouvé une clé USB. Je ne sais pas ce qui me prit, mais je lui dis que non. Non, lui dis-je. Mais je suis toujours au bar du Sofitel, ajoutai-je, je vais jeter un coup d'œil, et je me soulevai de mon siège, avec beaucoup de naturel, le téléphone à l'oreille, pour inspecter la moquette autour de moi et faire mine de chercher la clé USB, que j'avais toujours à la main.

Je m'accroupis pour regarder sous le canapé où les deux hommes étaient assis quelques instants plus tôt. Je cherchais ostensiblement, n'ayant plus peur cette fois d'attirer l'attention du maître d'hôtel. Au contraire même, si le maître d'hôtel m'avait demandé si j'avais perdu quelque chose, je lui aurais exposé la situation et lui aurais demandé de bien vouloir m'aider à chercher (mais le maître d'hôtel demeura derrière son comptoir sans se manifester). J'inspectai une dernière fois les abords de la table basse. Non, je ne vois rien, dis-je au téléphone à John Stavropoulos. Elle était comment, votre clé USB ? Il se mit alors à me décrire la clé USB que je tenais toujours serrée dans ma main droite. Une clé noire, de marque Cruzer, dit-il. Non, je ne vois pas, dis-je. Vous êtes sûr que c'est ici que vous l'avez perdue ? Il mit fin à la conversation sans répondre. Je rangeai le téléphone, le regard absent, angoissé de ce que je venais de faire. Je regardais toujours la Mercedes grise garée sur le parking à travers la baie vitrée, quand je sentis soudain les battements de mon cœur s'accélérer. La portière venait de s'ouvrir et je vis John Stavropoulos sortir de la voiture. Il se dirigeait vers moi, d'un bon pas, sous la pluie. Il avait relevé le col de sa gabardine et il prenait la direction de l'hôtel. Il ne regardait pas dans ma direction, il ne regarda jamais dans ma direction. Il avançait toujours, il

était à une trentaine de mètres de l'hôtel maintenant. De façon précipitée, ne sachant que faire
de la clé USB et où la dissimuler, pour ne plus
l'avoir à la main quand il reparaîtrait, je la fis
disparaître au fond de la poche de mon manteau,
en la recouvrant de mes gants et de mon écharpe,
et j'attendis le retour imminent de John Stavropoulos dans le bar de l'hôtel. Je savais qu'il réap-
paraîtrait d'un instant à l'autre et qu'il allait
s'asseoir en face de moi dans le canapé, en se
penchant en avant et se croisant les mains, pour
me dévisager, sans rien dire, me fixant en silence
de ses yeux inquisiteurs. Mais je savais très bien
qu'il lui serait impossible de me confondre. Il ne
pouvait rien contre moi si je parvenais à garder
mon sang-froid et à continuer de nier, calme-
ment, avoir jamais vu cette clé USB, il n'allait
quand même pas me fouiller. Je me préparais à
son retour. Mais, au dernier moment, je le vis
bifurquer sur la gauche et disparaître de mon
champ de vision. Il avait disparu. Il n'avait apparemment pas pris la direction de l'hôtel, en tout
cas pas par le plus court chemin. Mais peut-être
avait-il fait un détour, une boucle enrobante pour
venir me surprendre par-derrière à l'improviste.
Je ne tenais plus en place. Ces quelques instants
où il disparut complètement de ma vue, où je
n'avais aucune idée d'où il était, furent les plus
angoissants. La menace était diffuse, elle pouvait

venir de partout et surgir à tout instant. Puis, je le vis reparaître en sens inverse, qui reprenait la direction de la voiture. Il avait dû simplement aller faire un achat, il avait maintenant un journal à la main, dont je n'avais pas remarqué la présence auparavant. Il ne remonta pas tout de suite dans la voiture, il fit le tour de la Mercedes et alla ouvrir le coffre. Il revint avec une mallette noire rigide et reprit place à l'avant, à côté de Dragan Kucka. Mais la Mercedes ne démarrait toujours pas. Une minute s'écoula encore, et je n'osais pas partir, je n'osais pas quitter l'hôtel avant le départ de la voiture, de crainte de m'exposer à leurs regards en terrain découvert si je sortais dans la rue. Il était de nouveau au téléphone. À qui téléphonait-il ? Parlait-il de moi ? M'avait-il cru, quand je lui avais dit que je n'avais pas trouvé la clé USB ? Finalement, la voiture démarra, lentement, elle quitta le parking et passa devant la façade de l'hôtel. Un court instant, j'aperçus distinctement leurs visages à l'avant de la Mercedes, Dragan Kucka au volant, et John Stavropoulos toujours au téléphone, qui parlait, la mine soucieuse, à un interlocuteur inconnu. Cela ne dura qu'un instant, et la voiture, déjà, était passée. Je la regardais s'éloigner dans la bruine, qui tourna rue Froissart et prit la direction de l'Europe.

Il faisait nuit quand je regagnai mon studio de la place du Châtelain. Je n'avais pas allumé le plafonnier dans la pièce principale, j'étais demeuré dans la pénombre, me contentant d'allumer une petite lampe sur mon bureau. Je me sentais en sécurité dans cet îlot de lumière dorée, qui m'enserrait et semblait me protéger des menaces du monde extérieur. Je m'étais installé à mon bureau et j'examinais la clé USB entre mes doigts, elle était vieille et éraflée, les lettres CRUZER, à moitié effacées, étaient gravées sur la coque. La capacité de stockage était également indiquée (16 GB), et il y avait un minuscule anneau ou une anse qui permettait de la fixer à un porte-clés. Il n'y avait pas un bruit dans le studio. Devant moi, à travers la fenêtre, j'apercevais la cime des arbres de la place du Châtelain. Les lueurs orangées des réverbères entraient dans la pièce, qui se répandaient en flaque sur le parquet et allaient se refléter sur les murs. J'introduisis la clé USB dans le flanc de mon ordinateur. Il s'écoula quelques secondes — et comme rien n'apparaissait sur le bureau du Mac, fugitivement, j'imaginai que la clé était hors d'usage —, quand, sur mon fond d'écran bleu nuit, apparut l'icône de la clé USB, qui était identifiée comme Scan Disk Cruzer UFD56.

À l'intérieur de la clé USB se trouvait une liste considérable de documents disparates classés par ordre alphabétique, des documents Word, des tableaux Excel, des images JPEG, des PDF, ainsi qu'une dizaine de dossiers fermés dont n'apparaissaient que les icônes bleutées qui portaient des noms atypiques et inhabituels. Il est déjà assez difficile de s'y retrouver dans le contenu de ses propres clés USB, où s'accumulent au fil des mois différents documents qu'on y a consignés pêle-mêle, alors, quand on se trouve face à la clé USB d'un inconnu, il est quasiment impossible de se faire une idée de ce qu'elle contient en un seul coup d'œil. Je naviguai au hasard dans cette masse de données pendant plus de deux heures, j'ouvris des dossiers et lus attentivement des documents. Je m'interrompais parfois pour me connecter directement à internet sur mon ordinateur et faire des vérifications ou chercher des explications complémentaires. Il y avait là des dizaines de copies d'e-mails, des plans d'architecte, des scans de contrats, des factures de billets d'avion, des photocopies de cartes d'identité. La plupart des documents étaient en anglais, mais il y en avait aussi en français, et même en russe (tout du moins en caractères cyrilliques, ce qui me fit d'abord penser à du russe, mais ce devait plutôt être du bulgare). Plusieurs dossiers, très techniques, concernaient des demandes d'aides européennes pour des pays des Balkans, la Bulgarie, la Roumanie, la Grèce. Je devinai, sans avoir le temps d'approfondir, des malversations liées aux fonds structurels européens destinés à l'Europe orientale et méridionale. Je trouvai des fiches techniques sur des sites industriels en Bulgarie. Je conçus des soupçons de corruption qui impliquaient de hauts responsables bulgares. À lire leur correspondance avec John Stavropoulos, je devinais entre les lignes qu'ils semblaient disposés à favoriser l'établissement d'installations chinoises sur leur territoire, en accordant aux entreprises qui s'y fixeraient des facilités fiscales et des prix préférentiels sur l'électricité, en échange de dessous-de-table et de commissions occultes. Je compris aussi — plusieurs documents de la clé USB l'attestaient — que les cinq cents machines à miner ASIC que la société bulgare Kaliakras Ltd. envisageait de faire acheter par la Commission dans le cadre de l'appel d'offres du Centre commun de recherche serviraient en réalité exclusivement au minage de bitcoins, et non à développer les potentialités de la technologie blockchain comme ils le prétendaient dans les dossiers de demande d'aide européenne que John Stavropoulos m'avait transmis. Mais la première découverte importante que je fis concernait une facture qui datait de février 2016, qui avait été émise par la société chinoise BTPool Corporation pour l'achat, par la société bulgare Kaliakras Ltd., de deux cents machines de minage AlphaMiner 88 pour la somme totale de 937 530 €. La facture était très détaillée et déclinait toutes les caractéristiques de la machine : Taux de hachage : 14 TH/s. Consommation d'énergie : 1 300 W. Efficacité énergétique : 94 J/TH. Tension nominale : 11,60 ~ 13,00 V. Dimensions : 350 mm (L) × 135 mm (P) × 158 mm (H). Refroidissement : 2 ventilateurs 12038. Je relus cette facture, qui prouvait que Kaliakras Ltd., dès février de cette année, avant même l'appel d'offres du Centre commun de recherche, avait déjà acheté, de façon occulte, du matériel de minage en Chine.

Une chose qui m'intriguait, c'est que je n'avais jamais entendu parler de cette machine Alpha-Miner 88 mentionnée sur la facture, et ce qui me surprit encore plus, c'est que, lorsque j'entrai le nom AlphaMiner 88 dans la fenêtre de recherche Google de mon ordinateur, il n'apparut aucune occurrence. Aucune. La première référence, plutôt déconcertante, renvoyait à ce qui me parut être un site de vente en ligne d'amphétamines (et le 88 à la page 88 d'un catalogue) : Alphamine — AnabolicMinds.com — Page 88. La société bulgare Kaliakras Ltd. avait donc acheté, en février 2016, pour un montant de près d'un million d'euros — j'avais la facture sous les yeux — deux cents machines à miner qui n'existaient pas, ou tout du moins qui n'étaient répertoriées nulle part. Ce n'était pourtant pas des machines fantômes, tout au plus pouvait-on supposer qu'elles avaient été achetées en toute discrétion. Je trouvai la solution, ou une partie de la solution, un peu plus tard, en découvrant une photo de l'AlphaMiner 88 sur la clé USB. Il s'agissait en réalité d'un nouveau prototype, pas encore mis sur le marché. Il y avait aussi, dans le même dossier consacré à l'AlphaMiner 88 (qui portait le simple nom de code 88), l'équivalent, en photos, de ce qui eût été autrefois les plans du prototype, et qui se présentait sous la forme d'images légendées en chinois, qui détaillaient la machine sous tous les angles, fermée et ouverte, avec des vues de la carte mère et des cartes graphiques, ainsi que des indications très précises de ventilation et de câblage. AlphaMiner 88 était donc un prototype encore secret, produit en Chine par le géant Bitmain, et commercialisé par BTPool Corporation, la société basée à Dalian, dont John Stavropoulos voulait me faire rencontrer les responsables.

Mais la deuxième découverte que je fis était encore plus spectaculaire. Sur la clé USB se trouvait un dossier entièrement consacré à la société chinoise BTPool Corporation, que je me mis à dépouiller attentivement. Il contenait des relevés de comptes d'exploitation, des listes de cours de cryptomonnaies sur les marchés, des graphiques, des notes techniques et des courriers officiels en anglais et en chinois. Je venais d'étudier le dossier avec soin sans rien trouver d'anormal, quand, revenant au dossier qui portait le nom de code 88, j'ouvris un document, qui présentait — ce qui n'avait rien d'inhabituel puisqu'il s'agissait d'un nouveau modèle — le programme de démarrage de la machine, son *bootstrap*. J'eus alors accès, sur mon ordinateur, au « code source » du prototype, c'est-à-dire au texte qui présentait les instructions de programme. Ce code source, écrit en langage de programmation, était certes très sibyllin et impénétrable, mais ce n'était pas du code binaire, il était lisible par un spécialiste, et même par le profane éclairé que j'étais, et se présentait sous la forme d'une succession de lignes de texte remplies de parenthèses, crochets, accolades, balises, généralement mises en valeur par une coloration syntaxique en vert ou en rose, qui permettait de faire ressortir certains éléments pour les distinguer de la litanie de lignes monotones de code qui apparaissaient en blanc sur fond noir sur l'écran de mon ordinateur. J'étudiai ce code source une vingtaine de minutes, et je remarquai quelque chose qui me semblait inhabituel. Je n'en étais pas encore certain à cent pour cent, mais il m'apparut que, dans la séquence de démarrage du prototype, se trouvait une porte énigmatique, une porte qui n'aurait pas dû exister, une porte qui, en principe, n'avait rien à faire à cet endroit, qui me fit soupçonner que la machine AlphaMiner 88 recelait une backdoor.

Je rouvris le document qui contenait la photo de l'AlphaMiner 88, et je regardai un instant la machine qui se présentait sous la forme d'un long parallélépipède rectangle grisâtre avec un ventilateur apparent. Je regardais la photo de cette machine qui recelait peut-être un accès secret à l'insu de ses utilisateurs, et je réfléchissais au sens du mot « backdoor », qui voulait dire littéralement « porte de derrière », mais qu'on traduisait parfois en français (quand on n'utilisait pas tout simplement, en français, le mot backdoor) par « porte dérobée ». J'aimais beaucoup cette métaphore d'une porte dérobée, qui évoquait une scène galante, avec un visiteur invisible qui vient d'entrer ou de sortir, ou faisait penser à ces escaliers ou corridors dérobés, qui ouvrent l'imaginaire à des représentations chevaleresques. Mais, alors que l'expression « porte dérobée » pouvait avoir des connotations poétiques et gracieuses, la réalité qu'elle recouvrait aujourd'hui, en sécurité informatique, était beaucoup plus vénéneuse, qui définissait la backdoor comme un moyen d'accès non autorisé, dissimulé dans un programme, pour permettre à un ou plusieurs individus malfaisants de prendre totalement ou partiellement le contrôle d'une machine à l'insu de son utilisateur légitime.

J'étais suffisamment ébranlé et préoccupé par ma découverte pour que je consulte mon ami Viswanathan Ajit Pai. Viswanathan Ajit Pai, qui travaillait avec moi à la Commission, avait rejoint la DG CONNECT en 1999, quand elle s'appelait encore « Société de l'information ». Il était l'homonyme d'un célèbre joueur de cricket et portait le même nom ou presque que le président du puissant régulateur des télécommunications aux États-Unis, Ajit Varadaraj Pai (au point que j'avais pu plaisanter un jour avec lui qu'il avait vraiment un nom hyper commun, c'était Dupont, Pai). Viswanathan Ajit Pai, qui ne manquait pas d'originalité, avait trouvé le moyen de se marier, non pas exactement le 11 septembre 2001, mais quelques jours plus tard. J'avais fait spécialement le déplacement depuis Paris, où je vivais encore à l'époque, pour assister à son mariage. Il régnait une ambiance très particulière à Bruxelles ce jour-là, comme partout dans le monde sans doute après les attentats du 11 Septembre, mais ce sentiment de ville en état de siège, de silence et d'abandon post-apocalyptique était encore accentué à Bruxelles parce que se tenait le même jour, au même endroit et quasiment à la même heure que le mariage, le premier sommet des chefs d'État européens après le 11 Septembre. Toutes les rues du quartier européen avaient été barrées et condamnées par des chevaux de frise gardés par des soldats en armes. Comme, de surcroît, c'était ce jour-là la première Journée sans voiture à Bruxelles, nous n'avions pas pu traverser la ville comme prévu en joyeux cortège de voitures et concert de klaxons, nous avions dû prendre le métro depuis la Grand-Place (le mariage civil avait eu lieu à l'Hôtel de Ville de Bruxelles), pour rejoindre le pub irlandais Kitty O'Shea's, dans le quartier européen, où se tenait la réception. Nous nous étions retrouvés en plein après-midi dans une rame du métro bruxellois, autour de Viswanathan en nœud papillon et de la mariée en robe blanche, qui accueillaient avec bonne humeur les exclamations enjouées des voyageurs qui se trouvaient là par hasard. Nous étions descendus du métro à la station Schuman, et la noce avait longé le Berlaymont. Nous nous faufilions le long des barrières de sécurité, en regardant passer les limousines officielles des chefs d'État précédées de motards qui filaient sur la chaussée dans des tournoiements de gyrophares. Le communiqué officiel de l'Union européenne publié le lendemain avait jugé légitime une éventuelle riposte américaine et accepté le principe d'une intervention militaire contre les États qui hébergeaient le terrorisme. Nous, insouciants, loin de ces réalités terrestres et de ces considérations géostratégiques qui allaient ébranler le monde dans les prochaines semaines, nous nous contentions de faire la fête au Kitty O'Shea's, que Viswanathan Ajit Pai avait réussi à privatiser pour la soirée, les deux salles ayant été aménagées pour la noce, avec buffet, piste de danse, lumières stroboscopiques et disc-jockey. Parmi les invités, il y avait un des oncles de Viswanathan, dont je ne me souviens que du prénom, Rajat ou Rajiv, un financier qui vivait à New York et qui avait été personnellement présent la semaine précédente dans une des tours jumelles au moment de l'attaque. *Oh, my God !* ne cessaient de répéter ceux à qui il racontait sa mésaventure (qui s'était heureusement bien terminée pour lui, il avait simplement dû descendre quinze étages dans le noir, mais il s'en était tiré sain et sauf). Avec son compagnon, un peintre californien, qui portait des lunettes colorées à la David Hockney, ils avaient pris le premier avion qui décollait de New York vers l'Europe pour pouvoir être présents au mariage. Aujourd'hui encore, je garde un souvenir aussi irréel qu'émerveillé de ce mariage. Tout le monde avait énormément bu ce soir-là. Chacun, l'esprit encore hanté par les attentats du 11 Septembre qui venaient de se produire, ressentait ce caractère d'irréalité que revêt la vie quand un événement tragique du monde extérieur vient entrer en collision avec un événement de notre vie personnelle. Il n'y avait, ce soir-là, au Kitty O'Shea's, quasiment que des gens qui travaillaient pour la Commission européenne, ou, si ce n'est directement pour elle, pour ou autour de l'Europe, et je me suis soudain rendu compte, à un moment de la soirée, que j'étais entouré d'eurocrates. C'était eux, les eurocrates, ces jeunes gens qui s'amusaient autour de moi dans ce pub irlandais, c'était eux, les eurocrates, ces jeunes gens élégants, intelligents, instruits, qui parlaient toutes les langues, qui étaient cultivés et qui exerçaient des métiers passionnants dans les domaines les plus variés. C'était eux, ces couples radieux, rieurs, épanouis, qui commandaient des pintes de Kilkenny au comptoir et qui piochaient un morceau de pecorino au buffet. C'était eux, garçons et filles, jeunes et moins jeunes, hétérosexuels et gays, qui s'étaient mis sur leur trente et un pour le mariage de Viswanathan et qui, les bras surélevés vers le plafond pour protéger leurs verres, se frayaient un chemin dans la foule parmi les danseurs. C'était eux, ces fameux eurocrates fantasmés dont tout le monde parlait et que personne ne connaissait, ces eurocrates de l'ombre, ces technocrates de Bruxelles tant décriés d'une Commission européenne soi-disant tentaculaire et démesurée, tatillonne et bureaucratique. Ce fut une fulgurance, j'en pris conscience d'un coup, comme une épiphanie. C'était eux, les eurocrates ! J'avais arrêté de danser et je reprenais mon souffle, adossé contre une cloison de bois à proximité du bar, transpirant, le dos de la chemise trempé d'avoir trop dansé, regardant les danseurs sur la piste, que le DJ parvenait à faire mouvoir en longues vagues enthousiastes qui levaient brusquement les bras au ciel, au rythme de musiques disco entraînantes et de tubes vintage. *Voiles sur les filles, Barques sur le Nil ! Je suis dans ta vie, Je suis dans tes bras ! Alexandra Alexandrie ! J'ai plus d'appétit, Qu'un barracuda !* Et je me souviens que c'est ce soir-là, pendant ce mariage, légèrement ivre et l'esprit aiguisé, rêvassant à mon avenir dans les vapeurs d'alcool et le brouhaha de la musique ambiante, que j'avais pris la résolution d'entrer un jour moi-même à la Commission européenne.

Ce soir, dans mon studio de la place du Châtelain, j'envisageais de téléphoner à Viswanathan Ajit Pai pour le consulter au sujet de ce que j'avais découvert de troublant dans la clé USB de John Stavropoulos. Mais il était déjà plus de 22 heures, j'avais étudié le contenu de la clé depuis le début de la soirée sans voir le temps passer, et je craignais de l'appeler à cette heure, je ne savais pas où Viswanathan se trouvait ce soir, il voyageait tellement, il pouvait être aussi bien aux États-Unis qu'à Bruxelles, en Inde ou à Tokyo, et je ne voulais pas prendre le risque de le réveiller à cinq heures du matin s'il se trouvait en Asie. Je me contentai donc de lui envoyer un SMS en lui demandant de bien vouloir me rappeler. En attendant son coup de téléphone, je me levai de mon bureau et je m'approchai de la fenêtre. Je regardais dehors en me massant la nuque, j'étais en chemise blanche et en chaussettes et je commençais à être fatigué. La place du Châtelain était déserte. Il y avait eu le marché cet après-midi, et il n'y avait quasiment aucune voiture garée au centre de la place. Je regardais la pluie tomber dans la lumière orangée des réverbères. Mon regard fut alors attiré par l'enseigne de néon rouge du restaurant qui faisait l'angle avec la rue du Page, et je vis un homme en pardessus arrêté là sous l'auvent, qui téléphonait à l'abri de la pluie. Je ne le regardais pas particulièrement, je n'avais pas fait attention à lui, quand je le vis lever les yeux dans ma direction. Je n'étais même pas sûr

71

qu'il m'ait aperçu, ma fenêtre devait être dans la pénombre, il n'y avait que la lampe de mon bureau allumée derrière moi dans la pièce. Je n'y fis pas plus attention que cela, mais quelques instants plus tard, alors que mon regard revenait vers les lumières rouges du restaurant, l'homme était toujours là, immobile sous l'auvent. Il venait de terminer sa conversation téléphonique, mais il tenait toujours son téléphone à la main, quand, de nouveau, son regard se dirigea vers moi. Je ne détournai pas les yeux, la distance qui nous séparait était telle que, même s'il me voyait, il ne devait apercevoir de moi qu'une silhouette sombre à la fenêtre. Jusqu'à présent, je n'avais encore conçu aucune inquiétude. C'est quand je le vis soulever son téléphone à la hauteur de sa poitrine que je sentis mes mâchoires se crisper et mes membres se raidir, j'eus le sentiment qu'il venait de prendre une photo à la volée de l'immeuble où j'habitais. Peut-être me trompais-je, peut-être n'était-ce qu'une impression de ma part, mais aussitôt, comme s'il s'était rendu compte que j'avais surpris son geste, il rangea le téléphone dans sa poche et quitta la protection de l'auvent où il avait trouvé refuge pour se mettre en mouvement dans la nuit, et je le vis disparaître de dos sous la pluie.

Qu'est-ce que cela pouvait signifier ? J'étais toujours debout devant la fenêtre en train de me le demander, quand je sentis mon téléphone vibrer dans la poche de mon pantalon. C'était Viswanathan Ajit Pai. Après quelques généralités de pure forme (oui, il était à Bruxelles, oui, il allait bien), j'en vins à l'essentiel, je lui expliquai que je souhaitais le consulter sur une question délicate, pour laquelle je lui demandais la discrétion, et même la confidentialité la plus stricte. Je ne pouvais pas lui en dire plus pour l'instant, je lui demandais son indulgence, et je le priais de bien vouloir ne pas me poser de questions, je lui expliquerais plus tard. Essaie de répondre dans l'absolu, lui dis-je, comme s'il s'agissait d'un cas d'école. Nous étions suffisamment amis pour que je puisse lui demander cette faveur, et il le prit très bien, cette aura de mystère dont j'entourais ma demande l'amusait plutôt, prenant tout cela plutôt à la rigolade, mais sans oser plaisanter trop ouvertement, il voyait bien que je semblais sérieux et préoccupé. Je t'écoute, me dit-il. Je lui exposai le cas, sans nommer la société bulgare, mais en lui expliquant que j'avais appris fortuitement l'existence d'un nouveau prototype de machine à miner appelé AlphaMiner 88. Je lui dis que j'étais en possession du programme de démarrage de la machine, que j'avais accès à son code source et que je soupçonnais l'existence

73

d'une backdoor. Il m'écouta sans m'interrompre, me posa une ou deux questions de détail quand j'eus terminé, et, réfléchissant un instant — à peine un instant, il semblait avoir tout mémorisé et visualisé très vite — il me fit part de ce qui, d'après lui, pouvait se passer, si l'existence de cette backdoor était avérée. Lorsque la machine se met en route, m'expliqua-t-il, le programme de démarrage demande en général à l'utilisateur de se loguer, c'est-à-dire de se connecter à internet pour mettre à jour les logiciels. Donc, lorsqu'un utilisateur se sert de l'AlphaMiner 88, la société chinoise qui l'a fabriqué connaît nécessairement l'adresse IP de l'utilisateur. À ce moment-là, si la machine a démarré avec la séquence où se trouve cette porte suspecte, et si la société chinoise, qui connaît l'adresse IP de l'utilisateur, est malveillante, ou si quelqu'un en son sein est malveillant, en somme s'il y a chez eux un pirate informatique ou un système organisé de piratage, le hackeur peut, en tapant simplement une ligne de commande sur son ordinateur, aller voir si la porte est ouverte à telle adresse internet. Et si la porte est ouverte et que l'utilisateur n'est pas protégé par un pare-feu, le hackeur peut entrer. Mais il y a plus grave. Si la fameuse porte dont tu me parles a été installée dans la séquence de démarrage de l'AlphaMiner 88, non seulement le hackeur peut entrer, mais il a accès au noyau du logiciel, ce qui lui permet de modifier absolument tout ce qu'il veut à l'intérieur de la machine. Ce qui voudrait dire, que, dans ce cas, il pourrait contrôler la machine à distance ? Exactement, dit-il. Mais, pour l'instant, ce ne sont que des conjectures. Le seul moyen, me dit-il, d'avoir la confirmation qu'il s'agisse bien d'une backdoor, c'est de voir tourner l'ordinateur. Il faudrait que tu puisses voir la machine fonctionner.

Le lendemain, en fin de matinée, j'appelais John Stavropoulos pour lui dire que j'acceptais sa proposition. Je précisai toutefois qu'il restait un détail d'emploi du temps à régler, car je ne pourrais pas me rendre à Dalian au début de l'année prochaine comme il me l'avait proposé. Si la rencontre devait avoir lieu, elle ne pouvait se faire qu'en marge de mon voyage à Tokyo, où je devais me rendre à la mi-décembre pour participer à un colloque international sur la blockchain. Je ne pourrais rester que vingt-quatre heures à Dalian, lui dis-je, et je lui donnai la date exacte de la journée où j'étais libre (j'avais eu le temps de ressasser tout cela cette nuit, en comparant sur internet les différents horaires de vol), le 15 décembre, ce qui me ferait prendre l'avion de Roissy le 14 et arriver à Tokyo, comme prévu, le 16 décembre. Je lui demandai de prendre contact avec les dirigeants de BTPool Corporation pour vérifier qu'ils pouvaient me recevoir ce jour-là et me faire visiter leurs installations, j'insistai sur le fait que je tenais beaucoup à voir fonctionner les machines. J'ajoutai, pour finir, que mes frais de voyage seraient pris en charge par une université japonaise et que je m'occuperais moi-même de la réservation de l'hôtel. Jusqu'à présent, John Stavropoulos n'avait manifesté ni surprise ni joie. Mais, m'entendant évoquer la question des frais de voyage et d'hébergement, et me voyant veiller scrupuleusement à prévenir tout conflit d'intérêts, l'humeur badine (sans doute se réjouissait-il secrètement de la nouvelle que je venais de lui annoncer), il ne put s'empêcher de me demander, sur un ton pince-sans-rire, si je permettrais quand même que Gu Zongqing m'invite à dîner le soir du 15 décembre. Sans entrer dans son jeu, je répondis sèchement qu'on aviserait plus tard, que la question était prématurée. Pour l'instant, tout ce que je lui demandais, c'était de s'assurer auprès des dirigeants de BTPool Corporation que je pourrais être reçu le 15 décembre. John Stavropoulos, d'une voix mielleuse, qui laissait transparaître la satisfaction qu'il éprouvait d'être arrivé à ses fins, me dit qu'il n'y manquerait pas. Il me dit même qu'il allait essayer de les joindre tout de suite, qu'il espérait pouvoir me donner une réponse dans la journée. Il essaya de me rappeler plusieurs fois dans l'après-midi, mais, comme j'avais plusieurs réunions au bureau, j'avais laissé mon téléphone en mode avion, et il avait fini par laisser un message sur ma boîte vocale. J'en pris connaissance en rentrant à la maison, debout devant la fenêtre, le regard perdu au loin sur la place du Châtelain. Vous avez un nouveau message, disait la voix de synthèse du téléphone, qui articulait et détachait chaque syllabe, reçu aujourd'hui, à dix-huit heures quarante-sept. S'ensuivait un bip aigu, et un court silence, puis la voix de John Stavropoulos. Stavropoulos, disait-il — il procédait à l'allemande ou à l'anglo-saxonne, en se présentant d'entrée avant de prononcer le moindre mot —, j'ai parlé à Gu, c'est O.K., il vous attend à Dalian le 15 décembre.

II

Dans les jours qui suivirent ne se dissipa pas le sentiment que j'avais eu d'être surveillé. Je n'avais pas de soupçons précis, mais je sentais une menace diffuse. J'avais parfois l'impression d'être épié quand je sortais de mon bureau. Lorsque, le soir, je rentrais chez moi, je m'empressais d'allumer la lumière, et je ne pouvais m'empêcher de vérifier que personne n'était entré dans mon studio en mon absence. J'avais copié une dizaine de documents de la clé USB de John Stavropoulos sur le bureau de mon ordinateur (les plus importants, ceux qui concernaient le prototype AlphaMiner 88), et je ne sus plus ensuite quoi faire de la clé USB. J'envisageais de la détruire, ou, sans être aussi théâtral, de la faire disparaître, de l'abandonner dans la rue dans une poubelle. Mais, finalement, il me parut préférable de la garder, dans l'éventualité où j'aurais besoin de ressortir un jour un fichier pour produire des éléments de preuve. Cela fut beaucoup plus simple que je l'imaginais de changer mon billet d'avion. La conseillère de la compagnie aérienne que j'eus au téléphone me fit savoir qu'elle pouvait transformer mon aller Paris-Tokyo en un Paris-Pékin-Dalian-Tokyo, le vol retour restant inchangé, les conditions tarifaires de mon billet me permettant d'opérer une telle modification, moyennant un supplément, que je réglai par carte bancaire. Dans l'après-midi du même jour, je reçus par mail la confirmation du changement de vols, avec le nouveau mémo de voyage. Il fallut ensuite m'occuper du visa. Pour obtenir un visa chinois à Bruxelles, il faut fournir une copie du billet d'avion et de la réservation d'hôtel. Je réservai donc sur internet un hôtel à Dalian pour la nuit du 15 décembre. Je choisis un hôtel le plus neutre possible, un trois-étoiles anonyme situé près de la baie, dans lequel je réservai une *business suite* pour moins de 80 dollars. Je téléchargeai ensuite le formulaire de demande de visa, et je le remplis un soir dans mon studio, à la lueur de la lampe de mon bureau. Dans la rubrique « Informations sur le voyage en Chine », j'hésitais entre « visite commerciale » et « visite non commerciale », et je finis par cocher « tourisme », qui me semblait être la case qui susciterait le moins d'interrogations. Mal à l'aise à l'idée qu'on pût chercher à en savoir davantage sur les raisons de mon séjour, j'avais élaboré le scénario suivant au cas où je serais interrogé quand je déposerais mon dossier au consulat de Chine à Bruxelles, ou en arrivant à Pékin, au contrôle de police de l'aéroport. J'expliquerais que, en marge d'une conférence internationale à laquelle je devais assister à Tokyo — ce qui était vrai, et là, j'étais capable de fournir tous les documents officiels qu'on voudrait — j'avais décidé, à titre privé, de visiter Dalian, pour des raisons de loisir. Dalian était quand même une ville de près de sept millions d'habitants, avec un riche passé russe et japonais, qui passait pour une des destinations touristiques les plus prisées de Chine. Aux yeux d'un fonctionnaire chinois, même soupçonneux, il ne devait pas paraître aberrant qu'on veuille y passer une journée. J'avais même poussé le perfectionnisme, ou l'anxiété, jusqu'à me renseigner sur les principales curiosités touristiques de la ville, et je tenais en réserve les noms du parc Jinshi Yuan et du temple Xingshui, si les investigations devaient aller plus loin sur les raisons de mon séjour (mais je n'eus pas l'occasion de prouver ma bonne foi au Centre de Visa chinois). Quatre jours plus tard, j'avais mon visa.

Il me restait une dernière chose, plus personnelle, à régler avant mon départ. En principe, j'aurais dû partir à Tokyo le 15 décembre, et il était prévu avec Diane que le mercredi précédent, le 14 décembre, comme tous les mercredis, ce soit moi qui m'occupe de Thomas et Tessa. Mais, en raison de mon départ anticipé en Asie, je ne pourrais pas m'occuper des jumeaux cette semaine, je prenais l'avion à Roissy le jour même où j'aurais dû en principe aller les chercher à l'école. Je devais donc trouver une solution, en m'efforçant de surcroît de cacher à tout le monde que je partais en Chine. La solution la plus évidente, pour contourner Diane (nous ne nous parlions plus depuis l'été), aurait été de les confier à ma mère, qui les avait déjà gardés tellement souvent depuis leur naissance. Mais, ces derniers temps, l'état de santé de mon père s'était dégradé, et je ne pouvais pas demander à ma mère de s'occuper en plus des jumeaux. Je fus donc obligé d'appeler Diane pour régler la question de la garde des enfants. Lorsqu'elle décrocha, elle savait sans doute que c'était moi, elle avait dû voir mon nom s'afficher sur l'écran de son téléphone. Oui, dit-elle, et elle attendit. Elle avait simplement dit « oui », rien de plus, et ce « oui », qui était d'ailleurs plutôt un « oui ? », avec une nuance d'interrogation et d'expectative, rien que ce « oui » m'était déjà insupportable. Je reconnaissais cette manière hautaine, dédaigneuse et distante, qu'elle avait, avant même

84

d'entendre le moindre mot de ce que j'avais à lui dire, de montrer que je l'importunais. Je me demandais même comment j'avais pu aimer une femme qui avait une telle voix. Ce n'était d'ailleurs pas une question de tessiture de voix (elle avait une voix plutôt agréable), c'était une question d'inflexion ou de modelé, une intonation excédée qu'elle n'adoptait qu'avec moi, qui m'était exclusivement réservée. J'avais l'impression que, dans ces moments-là, je découvrais la vraie nature de la voix de Diane, sa voix au naturel, quand elle ne faisait pas l'effort de la parer des artifices de charme et de grâce qu'elle déployait en société, une voix comme surprise au saut du lit, pas coiffée, pas maquillée, une voix encore en robe de chambre tiède. Mais, dans le fond, je crois que je n'ai jamais aimé Diane. Même quand je croyais l'aimer, même dans les premiers temps de notre amour, même quand je l'ai épousée. Elle m'avait plu certes, elle m'avait énormément plu. Diane était une des femmes les plus élégantes de Bruxelles, et ce qu'elle représentait m'impressionnait beaucoup, sa beauté, son allure, sa prestance, le fait qu'elle ait douze ans de moins que moi, le frisson d'admiration qu'elle laissait dans son sillage partout où elle passait. Tout cela, j'en étais bien conscient, mais, si cela me plaisait autant, c'était peut-être aussi parce que cela me mettait moi-même en valeur, parce que c'était gratifiant pour moi. Cela n'avait rien à voir avec l'amour. D'ailleurs, tout ce qui chez Diane me deviendrait insupportable avec le temps était d'ores et déjà en germe dès que je l'ai rencontrée, mais je ne le voyais pas encore, aveuglé par son irrésistible aura. Je n'en revenais pas qu'une telle femme ait pu m'aimer, à supposer qu'elle m'ait jamais aimé. Parfois, il s'agissait d'ailleurs des mêmes traits, dont le signe s'était simplement inversé, le « + » se transformant en « – », et ce que j'avais pris au début pour de l'assurance, je le voyais maintenant comme de la prétention, son insouciance me semblait être de la frivolité, et son élégance que je croyais unique rien de plus qu'un banal chic de Parisienne. Pour l'instant, Diane n'avait dit que « oui » au téléphone, et je n'avais toujours pas enchaîné, je mesurais combien il était difficile de devoir expliquer quelque chose à quelqu'un à qui on ne parle plus. Depuis l'été, chaque fois que nous avions été obligés de nous parler, au téléphone le plus souvent, pour des questions pratiques relatives aux enfants ou à l'appartement (des histoires de clé, de vacances ou de factures), nous nous adressions l'un à l'autre comme à des étrangers, comme si nous étions deux avocats, chargés chacun de représenter les intérêts de son client, elle les siens et moi les miens, en mettant toujours en avant les intérêts de l'enfant, des enfants en l'occurrence. Diane n'avait toujours dit que « oui » au téléphone, mais j'avais tout de suite compris qu'elle ne ferait rien pour m'aider. J'avais tout de suite compris que, si je lui demandais maintenant si elle pouvait s'occuper des enfants mercredi prochain, elle se contenterait de me rappeler les termes de l'accord que nous avions conclu à la rentrée, que c'était moi qui avais la charge des enfants le mercredi et un week-end sur deux, et je ne lui donnai pas ce plaisir, je ne lui donnai pas le plaisir d'entrer dans des marchandages indignes et des comptes d'apothicaire, un mercredi contre deux week-ends dont elle pourrait ensuite disposer à sa guise. Je ne disais toujours rien. Oui, répéta-t-elle d'une voix agacée, sa voix était agacée maintenant, c'était un « oui » impatient, un « oui » exaspéré. Sa voix, déjà détestable quand elle n'avait dit qu'un simple « oui » interrogatif, devenait franchement insupportable à présent. Je la sentais sur le pied de guerre, prête à en découdre, recherchant l'affrontement, disposée à la querelle. Je savais très bien qu'elle ne me ferait aucun cadeau. Je savais très bien que, pour telle ou telle raison purement inventée, pour tel prétexte fallacieux, elle allait me dire qu'elle ne pouvait pas s'occuper des enfants mercredi prochain. Je laissai passer un instant et, sans rien dire, j'appuyai sur la touche rouge de mon téléphone pour mettre un terme à la conversation. Je me débrouillerais autrement. Dans la soirée, j'appelai mon frère, qui, dans un premier temps, me dit qu'il ne pourrait pas s'occuper des enfants, mais qui me rappela une heure plus tard pour me dire que Sylvie, sa femme, était d'accord pour s'en charger et irait chercher les jumeaux à l'école mercredi.

La veille de mon départ, je reçus le programme complet de mon séjour à Tokyo. Deux interventions publiques étaient prévues, mon exposé lors de la deuxième journée de la *Blockchain & Bitcoin prospects* et une conférence le surlendemain à l'université de Tokyo, suivi d'un dîner avec le président de Todaï. J'appris, dans ce même message que, pendant mon séjour à Tokyo, je serais logé dans le campus de Hongo, dans le Sanjo Conference Hall, une résidence hôtelière qui comptait six chambres d'hôtes réservées aux professeurs invités, avec bibliothèque et restaurant, destinée à favoriser les échanges académiques. J'écrivis au professeur Nakajima pour le remercier, et j'ajoutai, dans mon message, qu'il était inutile qu'il vienne me chercher à l'aéroport le jour de mon arrivée. Je préférais qu'il ne sache pas que, en réalité, j'arriverais en provenance de Chine et non de Paris, comme prévu. Ce dernier obstacle levé, personne ne pourrait jamais savoir que j'avais fait un détour par la Chine avant d'arriver au Japon.

Le jour du départ, dans le train qui me conduisait à Roissy, je relus encore une fois sur mon ordinateur le texte de ma conférence de Tokyo, parcourus du regard les tableaux et illustrations qui l'accompagnaient. Mais je n'avais pas la tête à cela. C'est la parenthèse chinoise de mon voyage, son prélude secret, qui occupait mes pensées. Je me remémorais tout ce que j'avais appris depuis que j'avais fait la connaissance de John Stavropoulos. Officiellement, il ne s'agissait que d'une simple transaction commerciale, la société bulgare Kaliakras Ltd. envisageait d'acquérir du matériel de minage en Chine après avoir sollicité des aides au développement de l'Union européenne. Mais, je me rendais compte que, en réalité, tous les acteurs de cette transaction étaient, à des degrés divers, indélicats, si ce n'est malhonnêtes. Du côté bulgare, alors que le projet était présenté comme une entreprise vertueuse, censée promouvoir la technologie blockchain en Europe, j'avais découvert qu'il ne s'agissait ni plus ni moins que d'implanter des mines de bitcoins dans une région déshéritée, non pas dans la perspective d'un développement économique sain et durable, mais dans un intérêt purement mercantile, le profit généré devant sans doute être réparti entre différents protagonistes locaux et des responsables politiques au plus haut niveau. Du côté chinois, si l'existence d'une backdoor sur les machines AlphaMiner 88 devait se confirmer, on pouvait suspecter la société BTPool Corporation de tentative d'escroquerie pure et simple, au détriment de la société Kaliakras Ltd. Car, si les transactions en bitcoins sont en principe infalsifiables, en revanche, les ordinateurs où ils sont stockés dans des coffres-forts numériques peuvent très bien être visités et les bitcoins dérobés. Quant à l'intermédiaire XO-BR Consulting, qui semblait avoir des accointances avec toutes les parties, s'il n'était pas directement complice de l'escroquerie, il devait au moins se servir au passage, en pourcentages et commissions occultes, sur toutes les transactions effectuées.

À l'aéroport de Roissy, survint un incident mineur qui me troubla. J'étais en train d'embarquer pour le vol de Pékin, quand, me retournant pour jeter un coup d'œil sur les passagers qui attendaient derrière moi devant la porte E41, mon regard fut attiré dans la foule par une jeune femme qui portait des lunettes noires et un foulard. Ce n'était pas une Chinoise, il était difficile d'en avoir la certitude dans la mesure où la majeure partie de son visage disparaissait sous des lunettes de soleil en losanges, mais j'en avais l'intuition intime. La plupart des passagers étaient asiatiques, et cette jeune femme, qui me semblait européenne, détonnait dans l'assistance, je n'aurais pas pu expliquer pourquoi. Je présentai ma carte d'embarquement à une hôtesse et, avant de m'engager dans la passerelle vitrée pour accéder à l'avion, je me retournai encore une fois fugitivement vers la jeune femme — et j'eus soudain un serrement de cœur. C'était Yolanda Paul. Que faisait Yolanda Paul dans ce vol pour Pékin ? Et, d'un coup, toutes les appréhensions diffuses que j'avais ressenties depuis plusieurs jours, tous les soupçons jamais clairement établis d'être suivi ou surveillé se cristallisèrent dans cette vision de Yolanda Paul qui s'apprêtait à prendre le même avion que moi. Ce ne pouvait être que John Stavropoulos qui l'avait envoyée. Mais comment John Stavropoulos pouvait-il savoir que j'allais prendre ce vol précisément ? Je ne l'avais plus revu depuis l'épisode du Sofitel. Nous n'avions échangé que quelques courriels, et jamais je ne lui avais communiqué mes horaires de vols. La seule chose que j'avais faite, à sa demande, pour qu'il puisse organiser mon accueil sur place, c'était de lui transmettre l'heure d'arrivée de mon vol à Dalian. Avait-il pu déduire, à partir de ce seul élément, que ce

serait ce vol-ci que je prendrais pour Pékin ?
Oui, c'était possible. S'il avait pu deviner, ou
s'assurer par je ne sais quel moyen parallèle, que
je partirais de Roissy — et non d'Heathrow ou
de Schiphol (plusieurs possibilités s'offrent à
nous quand on part de Bruxelles) —, le choix
du vol se réduisait considérablement, et le plus
probable était en effet que je prenne ce vol-ci,
qui était le seul à me permettre d'arriver à Dalian
le lendemain en début d'après-midi, après une
courte escale à Pékin. Mais peut-être m'égarais-
je, peut-être n'avais-je été victime que d'une illusion, d'une autopersuasion vénéneuse, induite
par la mauvaise conscience que j'éprouvais d'entreprendre secrètement ce voyage. Souvent, dans
les lieux publics, dans un train ou une salle de
concert, avec un sentiment soudain de gêne et
de frayeur irrationnelle, il m'était arrivé de croire
reconnaître, quelques rangs devant moi, ou assise
au premier rang du balcon d'une salle de spectacle, une femme avec qui j'avais eu une liaison
dans le passé. La plupart du temps, je me trom-
pais, et, si l'inconnue avait bien quelques traits
communs avec l'amie que j'avais cru reconnaître,
c'est mon imagination, et elle seule, qui, à partir
de ces quelques indices tangibles qu'elle avait à
sa disposition (une coupe de cheveux, une
écharpe particulière, des lunettes de soleil en
losanges), avait recomposé une image mentale

complète de l'ancienne maîtresse que j'avais cru à tort reconnaître. Je m'étais installé à ma place dans l'avion, et j'avais ouvert un livre, mais je n'arrivais pas à me concentrer. Sans cesse, je relevais la tête pour observer discrètement les passagers qui continuaient d'embarquer par l'avant de l'appareil et que je voyais passer à côté de moi dans le couloir pour gagner leur siège plus loin dans la cabine. Je guettais le passage de la jeune femme afin de pouvoir l'observer de plus près et en avoir le cœur net, m'ôter définitivement ce doute qui me torturait l'esprit. J'aurais aimé la voir passer à côté de moi et pouvoir me rendre compte de ma méprise. Mais je n'eus pas l'occasion d'avoir la confirmation que Yolanda Paul n'était pas dans l'avion, je ne revis plus la jeune femme avant le décollage. Sans doute embarquat-elle par une autre porte, ou par une autre allée, ou bien était-elle passée à côté de moi quand j'avais les yeux baissés sur mon livre (mais j'en doute, une sorte de détecteur inconscient m'aurait fait relever la tête à son passage).

Lorsque les hôtesses firent basculer les lourdes portes de l'avion avant le décollage, je me sentis soudain oppressé, je ressentis une peur irrationnelle, je me vis pris au piège, irrémédiablement enfermé. À l'inquiétude que j'éprouvais toujours au moment des départs s'ajoutait aujourd'hui une culpabilité diffuse d'entreprendre ce voyage sans avoir prévenu personne. Personne ne saurait où j'étais s'il devait m'arriver malheur à Dalian. L'idée, concrète, de la possibilité de ma mort me traversa l'esprit. Toujours, j'avais imaginé que, à l'heure de ma mort, je serais appelé à comparaître devant une instance immatérielle où l'ensemble de mes actes seraient inventoriés et analysés, et qu'un sens nouveau adviendrait de ce qu'avait été ma vie, à la lumière de ma mort. Toujours, quand j'imaginais cette hypothèse, je m'imaginais avoir un rôle conscient dans ce processus. Je pensais que ce grand oral posthume se tiendrait en ma présence, en présence de mon esprit ou d'une force supérieure qui émanerait de moi, qui assisterait à la séance et pourrait se rendre compte, pour la première et unique fois, de ce qu'avait été ma vie dans sa totalité. Je ne pouvais concevoir de ne pas être présent d'une manière ou d'une autre à ce moment ultime, et il m'arrivait même de m'y référer dans ma vie présente pour évaluer mes actes actuels à l'aune de ma mort future, sans jamais me rendre compte que, quand je serais mort, tout ce que j'imaginais là, et bien d'autres choses encore, les bouleversements du monde, le cycle des saisons et l'évolution de la vie de mes enfants, ne me seraient plus accessibles. L'avenir, auquel j'avais consacré ma vie, se déroulerait sans moi. L'avion se mit en mouvement et, tandis qu'il prenait de la vitesse sur la piste et que les coffres à bagages commençaient à trembler imperceptiblement dans la cabine, une idée diabolique me traversa l'esprit. Et si j'avais été manipulé depuis le début ? Si John Stavropoulos avait fait exprès de perdre la clé USB devant moi au Sofitel ? Si c'était délibérément, afin de me compromettre, qu'il l'avait fait tomber à mes pieds, pour m'attirer dans un piège ? Mais que pouvait-on me reprocher ? Je n'avais rien signé ni rien promis, et je n'avais accepté aucune rémunération. La seule erreur, peut-être, que j'avais commise, c'était d'avoir fait mes recherches en solitaire, sans en référer à personne. Peut-être que si je m'en étais ouvert auprès de collègues avisés, ils auraient pu me mettre en garde contre les agissements de la société XO-BR Consulting, qui avait peut-être déjà été repérée dans le passé comme faisant partie d'un réseau de cybercriminalité qu'on surveillait et qu'on aurait pu me signaler comme tel. Mais ce n'était sans doute pas moi qui étais visé personnellement dans cette affaire. À travers moi, c'est le Centre commun de recherche, et plus largement la Commission européenne, qu'on cherchait à compromettre. L'avion s'envolait pour Pékin, et j'avais le sentiment de me jeter dans la gueule du loup.

À l'aéroport international de Dalian, où j'arrivai le lendemain peu après 15 heures après une courte escale à Pékin, je fus accueilli par un jeune homme qui me repéra tout de suite quand j'apparus dans le hall des arrivées. J'ignore comment il avait pu m'identifier avec autant de certitude. Mais il n'hésita pas une seconde, il fendit la foule et alla droit sur moi. Il était encore en train de parler au téléphone au moment où il m'aborda, mais il n'avait pas de téléphone à la main, l'appareil était invisible, c'était assez déroutant, on ne voyait que les fils qui sortaient de sa poche et montaient jusqu'à ses oreilles, au creux desquelles étaient calés deux écouteurs ronds de couleur blanche, tels des embouts de stéthoscope. Un micro miniature était intégré au câble, et il tenait le fil à distance entre ses doigts, en continuant à parler en chinois à un interlocuteur invisible. Sans mettre un terme à sa conversation, il me demanda en anglais si j'avais fait bon voyage et je me contentai d'incliner la tête. Je le suivis sans un mot dans le hall de l'aéroport en traînant ma valise à roulettes derrière moi. Nous marchions côte à côte, n'échangeant que de rares regards tandis que nous sortions de l'aérogare pour gagner le parking. Il m'aida à ranger ma valise dans le coffre et m'invita à prendre place dans la voiture. Nous quittâmes le parking. De temps en temps, sans interrompre sa conversation en chinois au téléphone, il se tournait vers moi pour m'adresser une phrase. Il m'expliqua en anglais qu'avant de passer à l'hôtel, nous allions nous rendre à Xuancheng, pour visiter la mine nº 1, la mine principale, où se trouvaient également les bureaux de la société BTPool Corporation. J'acquiesçai sans un mot, et il reprit sa conversation en chinois. J'étais fatigué du voyage, je n'avais quasiment pas dormi dans l'avion.

Nous nous étions engagés sur l'autoroute, et je somnolais sur mon siège, je regardais défiler les pylônes électriques géants et les immeubles en construction qui se dressaient sur le bas-côté dans un paysage urbain brumeux et pollué. Un pendentif frémissait devant le pare-brise, et je le regardais tanguer pensivement, un porte-bonheur en forme de balle de golf à échelle réelle, décorée d'une houppe en fils d'or effilochés. Une inscription était gravée sur la surface alvéolée de la balle, un idéogramme incurvé dont j'ignorais le sens (bonheur ? chance ? santé ?). Tout au long du trajet, mon hôte ne cessa jamais vraiment sa conversation en chinois au téléphone, les mains sur le volant et le menton imperceptiblement baissé vers le micro miniature. Parfois, il faisait de brèves incises et se tournait vers moi pour me réserver quelque aparté en anglais. Cela ne facilitait pas le dialogue, car, dès qu'il avait fini sa phrase, au moment où je m'apprêtais à lui répondre ou à le relancer par une question, il reprenait sa conversation en chinois et se remettait à regarder la route devant lui. Pour ma part, j'avais laissé mon téléphone en mode avion, et je n'avais pas l'intention de désactiver la fonction de toute la durée de mon séjour à Dalian, pour ne laisser aucune trace numérique de ma présence en Chine.

La voiture ralentit à l'approche de la mine, nous franchîmes une barrière métallique sur rail que flanquait une guérite et allâmes nous garer devant un grand bâtiment blanc de trois ou quatre étages. Coupant le contact, mon hôte retira ses écouteurs, qu'il rangea dans un étui. Chose faite, toujours assis au volant, il se tourna vers moi et me regarda avec satisfaction. Nous sommes arrivés, me dit-il. Jusqu'à présent, je ne lui avais encore posé aucune question (je l'avais laissé téléphoner), mais, comme nous descendions de la voiture, je lui demandai si nous allions être reçus par Gu Zongqing. Ma question l'amusa. Il me dit que c'était lui, Gu. Il rit brièvement et s'excusa de ne pas s'être présenté plus formellement et d'avoir pu laisser s'installer la confusion. Il sortit son portefeuille et me tendit sa carte de visite. Je lui remis la mienne en échange, non pas ma carte de visite professionnelle à en-tête de la Commission, mais une des cartes que je m'étais fait faire à Bruxelles dans un Mister Copy avant mon départ, qui n'indiquait que mon nom, avec une fonction neutre : *Policy Adviser.*

Gu était un homme d'à peine plus de trente ans, fines lunettes à monture métallique, montre connectée au poignet, très voyante, avec un cadran bombé. Sous son manteau de laine noir cintré entrouvert, on devinait un polo, également noir, strict et élégant. Ainsi, c'était lui, le directeur général de BTPool Corporation. Ce n'était pas exactement ainsi que je me l'étais imaginé. Il n'avait pas du tout l'allure d'un homme d'affaires ou d'un chef d'entreprise, c'était plutôt à un jeune professeur d'informatique qu'il faisait penser. Il m'entraîna à l'intérieur du bâtiment en me disant qu'il allait me faire visiter la mine. Je passai la porte derrière lui et nous traversâmes un hall blanc aux murs en plâtre écaillés. Les lieux étaient déserts, on se serait cru dans un bâtiment administratif désaffecté ou dans un lycée agricole abandonné. Gu, qui montait les marches devant moi, m'expliquait dans un anglais incertain que la région de Dalian était particulièrement favorable à l'industrie du minage, en raison de la qualité de l'air et du climat. La société BTPool Corporation possédait une dizaine de mines dans la région, essentiellement autour de Dalian, mais également près de Shenyang, plus au nord, et, déjà, il devait élever la voix pour couvrir le puissant bruit de soufflerie qui provenait des étages supérieurs. Nous passâmes le premier palier, qui n'était pas exploité, on devinait au passage une immense salle à l'abandon à travers une porte ouverte. Plus nous montions, plus le bruit de soufflerie se faisait assourdissant. Au deuxième étage, il m'invita à entrer, et je fus impressionné par le spectacle qui se présentait à mes yeux. Des milliers de machines à miner étaient en train de tourner à plein régime dans un bruit de soufflerie continu. Les appareils reposaient sur des rangées d'étagères sommaires en acier galvanisé, et chaque boîtier, comme autant de microprocesseurs aux voyants verts allumés, était relié à la fois au réseau électrique et à internet, dans un enchevêtrement de fils électriques et de câbles multicolores, bleus, jaunes, marron, qui pendaient en tresses des étagères et se poursuivaient en rampant sur le sol, noués, entortillés, pour aller rejoindre des transformateurs dans des armoires électriques, sur les portes desquelles des idéogrammes et des annotations chiffrées étaient tracés aux feutres de couleur. Nous fîmes quelques pas plus avant, Gu criait maintenant, plutôt qu'il ne parlait, pour se faire entendre dans le grondement incessant de la salle. Les étagères, qui s'alignaient à perte de vue dans la pénombre, étaient classées par zones, A, B, C, D, puis subdivisées par secteurs, et enfin chaque machine était identifiée individuellement par une pastille colorée en aluminium, 40, 41, 42, 43. S'égosillant pour couvrir la rumeur des ventilateurs, Gu m'expliquait qu'il y avait plus de deux mille machines dans cette salle, et il y en avait autant à l'étage supérieur. Avec ce genre d'équipement, on pouvait miner vingt à vingt-cinq bitcoins par jour, ce qui correspondait, avec un bitcoin qui valait à l'époque environ mille dollars, à vingt à vingt-cinq mille dollars par jour, soit quasiment sept cent mille dollars par mois dans ce seul bâtiment. Je me penchai au passage vers une étagère, et, tandis que j'observais les machines pour essayer de déterminer de quel modèle il s'agissait sans parvenir à repérer le nom d'une marque ou d'un logo, Gu me fit savoir que chaque machine était dotée d'un ventilateur intégré pour éviter la surchauffe des composants électroniques, car la température des processeurs graphiques pouvait monter jusqu'à 70 °C pendant les opérations de minage. On ressentait un véritable sentiment d'oppression dans cette immense salle sombre et basse de plafond où régnait une chaleur étouffante. Au bourdonnement incessant des machines qui tournaient à pleine puissance s'ajoutait encore le bruit assourdissant d'une dizaine de climatiseurs industriels fixés à l'emplacement des fenêtres, qui brassaient l'air en permanence pour dissiper la chaleur ambiante. On sentait même un vent de fraîcheur tiède nous parcourir le visage quand on s'approchait de ces hottes d'aération, qu'encageaient de robustes protections grillagées. Nous avions atteint l'extrémité de la salle, et Gu me fit passer une porte vitrée pour accéder aux bureaux de la société. Il y avait là un étroit couloir, qui donnait sur deux ou trois pièces. Sans même entrer, demeurant sur le pas de la porte, nous jetâmes un coup d'œil sur la pièce de repos des techniciens de maintenance, où se trouvaient deux lits de camp et une table en formica avec des vestiges de repas, des barquettes en plastique, des résidus de nourriture et des baguettes usagées. Un type en chaussettes se trouvait là sur un lit de camp, allongé et les genoux relevés, qui consultait son smartphone. Il releva les yeux vers nous sans dire un mot. Nous n'entrâmes pas non plus dans la pièce voisine, un étroit local de sécurité, où on apercevait un mur d'images qui offrait des plans fixes des différentes caméras de surveillance installées dans le site, aussi bien à l'extérieur de la mine, avec une vue de la grille d'entrée, que dans chacune des salles de minage, où on pouvait découvrir, sous différents angles, les clignotements verts de centaines de machines à miner qui s'alignaient sur les étagères. Gu, qui me pré-

cédait dans le couloir, me fit entrer dans la dernière pièce, qui était la salle de contrôle de la
mine. Des ordinateurs suivaient en temps réel les
opérations en cours, on voyait les données bouger
sur les écrans, qui se mettaient continuellement
à jour sur les différents moniteurs. Un jeune
homme vêtu d'un sweat-shirt à capuche gris
délavé était avachi dans un fauteuil de bureau à
roulettes, très jeune, visage rond, écouteur Blue-
tooth en forme d'escargot fixé à l'oreille. Il se leva
et vint se présenter. C'était le responsable informatique de la mine. Il me dit qu'il s'appelait Feng
Jinmin. Mais il voulait qu'on l'appelle Jimmy, il
avait américanisé son prénom Jinmin en Jimmy.
Il parlait dans un anglais fluide, avec un accent
américain impressionnant. Il était originaire d'ici,
du Liaoning, de Shenyang. Il avait dix-neuf ans,
il avait fait des études aux États-Unis, à l'*UC
Berkeley School of Information*, et il revenait d'un
stage de deux mois à l'*IEEE Computer Society
of Silicon Valley*. Il me dit tout ça d'une seule
haleine, sans reprendre son souffle. Gu, qui semblait agacé de le voir monopoliser mon attention,
me demanda si je désirais un thé. Sans attendre
de réponse, il s'accroupit par terre pour brancher
une bouilloire électrique à une prise de courant.
Il prépara deux bols en porcelaine, qu'il disposa
sur le bureau, en jetant au passage un coup d'œil
sur les ordinateurs. Jimmy, lui, après sa première

103

tirade, ne disait plus rien. Il se tenait debout au milieu de la pièce et ne cessait de fléchir un genou devant lui de manière convulsive. On le sentait en attente, frétillant, prêt à repartir au quart de tour si on le sollicitait de nouveau. Les visites devaient être rares ici, on sentait qu'il avait besoin de parler. Gu me servit le thé, et nous échangeâmes quelques mots sur les activités minières de BTPool Corporation. Il m'apprit que les machines tournaient sept jours sur sept, vingt-quatre heures sur vingt-quatre, sur l'ensemble des sites dont la société assurait l'exploitation, ce qui représentait une consommation d'électricité phénoménale, m'avoua-t-il sans le moindre état d'âme, comme s'il tirait fierté de cette démesure, indifférent au gaspillage énergétique que cela pouvait constituer pour l'environnement. Pour me donner une idée, leurs factures d'électricité se montaient à près de 200 000 yuans, soit près de vingt-cinq mille euros mensuels. Puis, comme je lui demandais ce qu'il en était de la législation qui régissait les activités de minage en Chine, il me répondit, dans un discours apparemment bien rodé, que, pour l'instant, le gouvernement chinois demeurait dans l'expectative, qu'il n'encourageait ni n'interdisait le minage, ce qui pouvait être pris pour un soutien tacite. Je bus une gorgée de thé. Tout est donc déclaré, lui dis-je. Oui, bien sûr, tout est légal, dit-il. Ce n'était pas exactement ce que j'avais demandé, il y a une nuance entre déclarer ses activités et opérer dans la légalité, mais, comme John Stavropoulos quelques jours plus tôt, je notais qu'une fois encore on se plaisait à brandir devant moi l'étendard virginal de la légalité. Jimmy était allé se rasseoir devant ses ordinateurs, peu concerné par les questions de réglementation. À un moment, Gu s'absenta de la pièce, et Jimmy, aussitôt, se releva de son siège à roulettes pour reprendre la conversation avec moi, pas particulièrement curieux de savoir d'où je venais et ce que je faisais en Chine, mais surtout désireux de se mettre lui-même en valeur, d'étaler sa connaissance de la Silicon Valley et de faire valoir sa maîtrise des technologies informatiques les plus innovantes. Lorsque, moins de cinq minutes plus tard, Gu reparut dans la pièce, il trouva Jimmy debout à côté de moi, qui me montrait une application qu'il venait de télécharger sur son téléphone. Il remarqua la complicité qui s'était établie entre nous, et je perçus que cette connivence inattendue ne lui plaisait pas. Il ne tenait visiblement pas à ce qu'il y ait une relation privilégiée entre nous. Il ne fit aucune remarque, mais l'intensité de son regard avait suffi, et Jimmy, sans un mot, était allé se rasseoir devant ses écrans, en obtempérant à l'injonction muette de Gu.

105

Debout contre le mur, mon bol de thé à la main, je continuais de demeurer prudent, j'évitais d'avancer trop franchement en terrain découvert. Je sentais que le moment n'était pas encore venu de forcer le chemin pour vérifier si mes soupçons étaient fondés. J'avais le sentiment aussi que ce serait sans doute par Jimmy que je pourrais obtenir des informations, et non par Gu, qui restait sur ses gardes. Jimmy, lui, ne se ferait sans doute pas prier pour me raconter ce qu'il savait, si je parvenais à être de nouveau un moment seul avec lui. Mais la vigilance de Gu, ou sa méfiance instinctive, veillait à établir une sorte de barrière invisible entre nous. Gu abrégea d'ailleurs l'entretien. Pris d'une impulsion subite, il me prit mon bol des mains, le posa sur une armoire en fer-blanc et m'invita à quitter la pièce. Dans les escaliers, au moment de redescendre, je lui demandai s'il était possible de visiter le troisième étage, et il n'y vit aucun inconvénient. Il me précédait dans les escaliers, et nous accédâmes à une nouvelle salle de minage, où régnaient la même chaleur et le même bruit assourdissant de soufflerie. Nous progressions dans la pénombre entre deux rangées d'étagères saturées de câbles et de machines à miner. Gu, qui marchait devant moi, avait repris son rôle de guide, il complétait la visite en se retournant de temps à autre pour me faire part de quelques explications techniques. Au bout de la salle, dans un coin, à l'abandon, étaient entassées des centaines de machines à miner hors d'usage ou déjà vétustes. L'obsolescence, dans cette activité, était vertigineuse, certaines machines, qui n'avaient même pas dix-huit mois, pouvaient déjà être considérées comme archaïques. Gu, me désignant du bras l'empilement des appareils abandonnés, m'expliqua que c'était des machines qu'on ne pouvait même pas réparer, que cela reviendrait plus cher de les démonter pour les remettre en état que d'acquérir du matériel neuf et plus performant. Les machines qu'ils utilisaient maintenant avaient un bien meilleur *hash-rate*. Tout ça, disait-il avec mépris, ce sont de vieux Avalon, bien plus gourmands en électricité que les AntMiner. En revenant sur nos pas, je lui demandai de quel modèle étaient les machines qu'on voyait tourner sur les étagères en ce moment. Ce sont surtout des AntMiner S9, me dit-il, c'est le modèle le plus récent, et de loin le plus performant. Je lui demandai s'ils se servaient aussi de machines AlphaMiner 88, et il se tut. Il s'interrompit, il ne dit plus rien. Il me regarda. Je l'avais arrêté net, brisé dans son élan. Il me regarda avec surprise, soudain préoccupé. Il me dit qu'il ne voyait pas de quoi je voulais parler.

Passé ce moment de flottement — mon allusion à l'AlphaMiner 88 l'avait complètement désarçonné — Gu se ressaisit. Nous rejoignîmes le parking et nous quittâmes la mine n° 1. Dans la voiture, tandis qu'il me conduisait à l'hôtel, retrouvant ses manières d'hôte chargé de me présenter les activités de sa société, il m'expliqua que BTPool Corporation était une filiale du groupe Dalian Weilei Technologies. Je n'avais jamais entendu parler de ce groupe, et, comme je lui demandais des précisions, il me dit que j'allais en rencontrer les dirigeants le soir même, lors du dîner qui serait donné en mon honneur dans un grand hôtel de Dalian. Ma visite, apparemment, était plus attendue que je ne l'avais imaginé. Outre ce dîner donné ce soir en mon honneur (que présiderait *the Chief Executive Officer* du groupe en personne), il m'apprit qu'un rendez-vous avait été organisé pour moi le lendemain à la municipalité de Dalian, en présence du consul général de France à Shenyang. L'évocation de ce diplomate me contraria, j'aurais préféré que ma visite n'eût aucun caractère officiel, mais John Stavropoulos et ses mandants chinois, me considérant sans doute comme une prise de choix, avaient résolu de m'exhiber et s'étaient efforcés de réunir autour de moi le plus possible de représentants étrangers et de responsables locaux. Je songeai à essayer de faire annuler cette rencontre, et je lui dis que je repartais déjà le lendemain à Tokyo. Sans tourner la tête, continuant à regarder la route, Gu me dit qu'il le savait, c'est pourquoi le rendez-vous avait été fixé à 9 heures 30, ensuite il me reconduirait à l'aéroport, je n'avais pas à m'inquiéter (je me demandai fugitivement comment il connaissait l'horaire de mon vol, je n'avais pas souvenir de l'avoir communiqué à quiconque). Gu me laissa devant l'entrée de l'hôtel, en me disant qu'il viendrait me rechercher dans deux heures pour le dîner.

Au Dalian Yuan Hotel, je pris une douche, et je m'étendis un moment dans le noir pour me détendre et reprendre des forces. Ensuite, je commençai à m'habiller. Je traînais, en chaussettes, dans la chambre, ma cravate défaite autour du cou. La télévision était allumée, qui diffusait un programme en chinois. J'avais zappé, maussade, devant l'écran avec la télécommande sans rien trouver en anglais. Je finis de me préparer et je descendis à la réception, où je retrouvai Gu qui m'attendait dans le hall. Le Grand Hyatt de Dalian se trouvait de l'autre côté de la baie, il y avait près d'une demi-heure de trajet en voiture. La silhouette de verre de l'hôtel illuminée dans la nuit se dressait en bordure des eaux sombres de la baie de Dalian. Le dîner se tenait au huitième étage, dans une salle à manger privée, où nous attendaient les responsables du groupe. *The Chief Executive Officer* de Dalian Weilei Technologies était en réalité une femme à peine plus âgée que Gu, madame Li. Lorsqu'on me présenta à elle, elle me regarda droit dans les yeux. C'était une femme de petite taille, intimidante, la silhouette fluette, les mains fines et soignées, le sourire autoritaire. Elle portait des vêtements simples de grandes marques, sans ostentation, une chemise en soie noire et quelques bijoux discrets qui devaient valoir une fortune. À côté d'elle se tenait un homme plus âgé, qui était son factotum ou son secrétaire particulier, et qui prenait des notes sur son téléphone chaque fois qu'elle se tournait vers lui de son regard tranchant pour qu'il enregistre un désir qu'elle venait d'émettre ou une question en suspens qu'il faudrait régler ultérieurement. Courtoise et résolue, dégageant une autorité naturelle, c'est elle qui menait les débats autour de la table, et personne ne l'interrompait. Elle connaissait bien les dossiers, elle savait que je travaillais pour la Commission européenne, et, tandis qu'un ballet de serveurs en uniforme circulait derrière nous pour répartir des plats sur la table ronde, j'eus droit à un véritable exposé professionnel. Me confiant que son groupe avait de grandes ambitions en Europe de l'Est, en Roumanie et en Bulgarie, elle me parla du projet d'implantation de mines à Haskovo, et me parla d'un autre projet, plus important encore à ses yeux, en Roumanie, dont j'ignorais tout. Elle savait que, même si aucune règle officielle n'excluait expressément les sociétés chinoises des conditions d'appel d'offres de la Commission européenne, dans les faits, la pression politique était telle que jamais la Commission n'achèterait directement du matériel à une société chinoise. C'est un fait, dit-elle en piochant une minuscule parcelle de tofu entre ses baguettes, et je dus bien admettre qu'elle avait raison. C'est pourquoi nous sommes obligés de passer par un intermédiaire, me dit-elle, c'est une nécessité pour nous. Le matériel informatique ultra-spécialisé que nous produisons est non seulement le plus performant sur le marché, mais notre avance technologique dans le domaine des circuits intégrés et des cartes graphiques est telle que nous n'avons aucun concurrent hors de Chine. Vous connaissez la société XO-BR Consulting, n'est-ce pas ? me dit-elle en marquant une pause. Elle but une gorgée de thé et m'expliqua que toutes les ventes de matériel informatique que son groupe effectuait en Europe passaient par XO-BR Consulting, qui était devenu, dans les faits, à la fois leur représentant et leur meilleur client. Deux gros contrats étaient sur le point d'aboutir, qui portaient, l'un, en Bulgarie, sur cinq cents machines à miner ASIC, l'autre, en Roumanie, sur près de deux mille machines, mais, comme je le savais certainement, la signature définitive des contrats dépendait encore de l'obtention des fonds d'innovation régionaux européens qui avaient été sollicités, les démarches étaient toujours en cours. Comme avait dû me l'exposer Mr Stavropoulos, les sociétés concernées comptaient sur mon expertise pour relire les dossiers et les conformer à la législation européenne, législation qu'elle-même, elle le confessait, et elle souriait pour s'en excuser — un sourire carnassier — ne connaissait pas très bien. Je lui dis qu'on m'avait en effet transmis un dossier de demande de fonds d'innovation régional pour une société bulgare, que je l'avais lu et que je n'avais rien trouvé à y redire. Je ne voulais pas m'engager davantage. Je regardais madame Li, et je me demandais si elle était membre du Parti communiste chinois, ou si son père en avait été un haut dirigeant, si elle était en quelque sorte une héritière, ou si, comme j'inclinais plutôt à le penser, ce n'était que par ses seules compétences qu'elle avait accédé à la tête de son groupe. Je me demandais jusqu'à quel point elle était liée au pouvoir chinois. Dans un secteur aussi sensible pour les autorités que les nouvelles technologies, il était peu probable qu'un groupe « privé », qui avait certainement dû être impliqué, de près ou de loin, dans des activités de cyberespionnage industriel, ait pu se développer sans le soutien, ou au moins la neutralité bienveillante, des autorités chinoises au plus haut niveau. Des connexions secrètes avaient dû se tisser entre son groupe et le gouvernement de Pékin, et peut-être même avec l'unité de l'armée chinoise chargée de conduire des opérations militaires dans le cyberespace. On pouvait donc supposer que l'indépendance du groupe Dalian Weilei Technologies était très relative, et que ses responsables, au premier rang desquels madame Li, étaient tenus de rendre des comptes aux autorités chinoises. Vers la fin du dîner, tandis que nous picorions des fragments de melon et de pitaya autour de la table, il se produisit un léger quiproquo, dont le dénouement donna le signal du départ, chacun se levant pour remettre son manteau et rassembler ses affaires, avant de se disperser en direction des ascenseurs. Lorsque madame Li, qui ignorait que j'avais réservé ma chambre d'hôtel moi-même et qui croyait que j'étais l'hôte de son groupe et que Gu m'avait logé au Hyatt, se rendit compte que je résidais dans un autre hôtel, elle parut agacée et me demanda dans quel hôtel j'étais descendu. Je lui répondis le Dalian Yuan Hotel, et elle fit un mouvement de dénégation pour exprimer son scepticisme, avec une moue méprisante de la bouche qui pouvait signifier « jamais entendu parler de ça ». Se tournant vers son secrétaire, elle lui dit de me réserver une chambre au Hyatt pour la nuit, ce serait beaucoup plus simple et confortable pour moi. Elle fut surprise du refus que je lui opposai, moi aussi avec courtoisie et fermeté.

Dans la voiture, tandis que Gu me reconduisait à l'hôtel, je songeais que le réel était toujours supérieur à toutes les représentations qu'on pouvait s'en faire. Je me rendais compte qu'il y avait finalement une grande différence, pour évaluer le monde, entre être dans son bureau à Bruxelles à réfléchir à une réalité abstraite dont on pouvait en principe tout connaître (nous avions, en effet, à notre disposition, à la Commission, des milliers de rapports et de statistiques sur la situation actuelle de la Chine), et aller voir de temps à autre le monde réel, tel qu'il était, sur le terrain. À la Commission, la Chine représentait encore une abstraction lointaine. Bien sûr, tout le monde savait ce qu'il fallait penser de la Chine et de l'ascension irrésistible qu'elle allait accomplir au XXIe siècle. Tout le monde le savait, mais personne n'en avait encore pris la mesure exacte (on savait seulement qu'il fallait le savoir). Même les plus avertis de mes collègues continuaient de regarder la Chine avec condescendance, et de nombreux clichés continuaient d'avoir cours au sujet d'une Chine qui ne créait rien par elle-même et se contentait de copier, alors que, aujourd'hui, dans le domaine de l'innovation technologique, Shenzen n'avait plus rien à envier à la Silicon Valley. Le groupe Dalian Weilei Technologies n'existait pas encore il y a dix ans, et peut-être même il y a seulement cinq ans. L'ensemble de l'histoire de la technologie blockchain, et donc des machines que le groupe Dalian Weilei Technologies fabriquait et exploitait, avait moins de dix ans. Madame Li, à moins de quarante ans, était à la tête d'un consortium d'entreprises informatiques qui devait peser plusieurs milliards de yuans. Certes, un tel dynamisme n'était possible que parce que, en Chine, il n'y avait pas ces réglementations hypercontraignantes, que nous, en Europe, nous nous ingénions à produire. Peut-être fallait-il voir là un défaut inhérent à l'Europe, mais c'est un fait que nous étions, pour notre part, sans cesse retardés, freinés, entravés, par le respect des normes environnementales, par la morale, par la défense de l'éthique, par l'idéal humaniste que nous portions haut dans le monde. C'était bien sûr tout à notre honneur, et l'Europe, partout dans le monde, faisait figure de modèle d'intégrité, de probité et de droiture (l'Europe, en somme, pour reprendre la formule que mon grand-père De

Groef s'appliquait à lui-même avec une ironique humilité, n'avait qu'un seul défaut, c'est de n'en avoir aucun).

Gu me déposa devant l'entrée du Dalian Yuan Hotel en me disant qu'il viendrait me rechercher le lendemain matin à 9 heures pour le rendez-vous qu'il avait organisé avec les responsables de la municipalité de Dalian. Je le saluai et suivis des yeux sa voiture qui s'éloignait dans la nuit. De retour dans ma chambre, je regardai l'heure, il n'était même pas 22 heures. Je sortis de ma poche la carte de visite de Gu, et l'examinai un instant. J'étais debout devant la fenêtre, je n'avais même pas encore enlevé mon manteau. Des reflets de néon en provenance de la rue me parcouraient le visage, et je réfléchissais en regardant la carte de visite de Gu. Une idée était en train de faire son chemin dans mon esprit. Selon toute vraisemblance, l'adresse en chinois qui apparaissait sur la carte de visite n'était pas l'adresse personnelle de Gu, mais l'adresse de la mine n° 1. Rien ne m'empêchait donc de prendre un taxi maintenant pour me rendre à la mine. Je ressortis de ma chambre et redescendis dans le hall. Avant de quitter l'hôtel, je demandai à la réceptionniste en uniforme qui se tenait derrière le comptoir de vérifier que l'adresse de la carte de visite se trouvait bien à Xuancheng, je me souvenais que Gu avait prononcé ce nom dans la voiture cet après-midi. La réceptionniste lut la carte et me confirma que l'adresse se trouvait à Xuancheng. Je lui demandai d'écrire l'adresse sur un papier à l'intention du chauffeur de taxi. Puis, sur un autre papier, de m'écrire : « Pouvez-vous m'attendre. Je reviens. » Je préparais mes arrières, je n'avais pas l'intention de me faire déposer à la mine en pleine nuit, et, arrivé là-bas, de me retrouver perdu dans une zone isolée à ne pas savoir comment rentrer à l'hôtel. La réceptionniste m'écrivit la phrase en idéogrammes, que j'examinai un instant : 请稍等，我还回来。

Je sortis du hall et attendis un moment sur le perron. Il n'y avait pas de taxi stationné devant l'hôtel, mais j'en voyais passer de temps à autre dans la rue. Je levai le bras, et un taxi vert et jaune décoré d'idéogrammes s'arrêta devant moi sur le bord du trottoir. Je m'installai dans la voiture et me penchai en avant pour donner l'adresse au chauffeur. Il chaussa des lunettes, lut le papier, qu'il me rendit en hochant la tête, mit le compteur et démarra. Nous nous éloignâmes dans la circulation, la plupart des magasins étaient encore ouverts dans le quartier animé de l'hôtel, des néons rouges et bleus clignotaient aux devantures des restaurants. Nous longeâmes un instant la baie de Dalian, traversâmes un pont

117

illuminé. Je regardais cette ville inconnue à travers la vitre du taxi, et je songeais que, dans cette parenthèse dans ma vie que constituait ce voyage en Chine, au cœur même de ce blanc que j'avais ménagé dans mon emploi du temps, j'étais en train d'ouvrir une nouvelle parenthèse, une parenthèse dans la parenthèse en quelque sorte, encore plus secrète, encore plus vertigineuse. J'étais maintenant en train de m'enfoncer profondément dans la clandestinité, de sorte que plus personne au monde ne pouvait savoir où j'étais en ce moment et ce que j'étais en train de faire.

Le taxi roula une vingtaine de minutes sur l'autoroute, je ne pouvais pas dire que je reconnaissais les lieux, mais je n'éprouvais pas d'inquiétude particulière, je sentais que nous prenions la bonne direction. En quittant l'autoroute, la voiture s'engagea sur une route secondaire et nous roulâmes encore une dizaine de minutes dans la campagne. Puis, la voiture ralentit et s'arrêta. Je regardai par la vitre, je scrutais l'obscurité, et je reconnus dans le noir la guérite de l'entrée de la mine, qui n'était pas éclairée. Il n'y avait aucune lumière alentour, le premier réverbère se trouvait à plus de cinquante mètres. Le chauffeur me dit quelque chose en chinois, et je lui présentai le papier où je lui demandais de m'attendre, dont il prit connaissance sans rien manifester, ni accord ni protestation. J'ouvris la portière et je descendis dans la nuit, me dirigeai vers la mine. La grille d'entrée avait été en partie refermée, mais pas complètement, il restait un passage de deux ou trois mètres, par lequel je me glissai entre la grille fermée et la guérite déserte. J'entrai sur le parking, qui n'était éclairé que par un unique néon blanc tubulaire qui jetait une lumière blafarde sur le sol. Je me retournai avec inquiétude vers le taxi, craignant qu'il ne reparte. Mais le taxi était toujours là, garé dans la pénombre à une dizaine de mètres, les phares éteints, seul le voyant lumineux sur le toit demeurait allumé, qui lançait une faible lueur jaune dans la nuit. Je traversai le parking sans bruit et pénétrai dans le bâtiment. Dans le hall, je m'arrêtai presque aussitôt au pied de l'escalier, car on ne voyait rien, il n'y avait même pas de veilleuse, on devinait à peine les contours de la cage d'escalier. Je sortis mon téléphone de ma poche et balayai l'écran du doigt pour activer la fonction lampe de poche. Je m'engageai dans l'escalier, le téléphone à la main, qui éclairait mes pas d'un étroit faisceau mobile. Je n'avais pas monté une dizaine de marches que j'aperçus devant moi une lampe torche qui arrivait à ma rencontre depuis la salle du premier étage, sans doute un gardien qui faisait une ronde et avait repéré ma présence. Je m'immobilisai, le cœur battant, et, comme rien ne se passait, comme le faisceau ne bougeait pas, je pris conscience que c'était le reflet de ma propre lampe de poche qui se réverbérait sur le carreau de la porte vitrée du premier étage. Je poursuivis ma route, et je pénétrai dans le vacarme de la salle des machines. Des milliers de voyants verts clignotaient dans les ténèbres, certains plus rapidement, comme pris de frénésie, d'autres très faiblement, qui, tels des vers luisants, émettaient des signaux mourants sur le point de s'éteindre. Je progressais dans la salle en direction des locaux techniques. Le bruit des machines était plus métallique que dans mon souvenir, plus strident, plus sifflant, comme si des colonies d'insectes s'étaient agglutinées sur les étagères et faisaient entendre le concert de leurs stridulations continues. De loin, j'aperçus de nouveau le reflet de ma lampe de poche dans la porte vitrée qui menait aux locaux techniques. J'ouvris la porte, doucement, sans faire de bruit, précaution inutile dans le tumulte ambiant, mais mon corps, tendu, aux aguets, avait besoin de faire chaque geste avec précaution, de les arrondir, de les amoindrir, d'en décomposer l'exécution. Je m'engageai prudemment dans le couloir et poursuivis ma route, passai devant la première pièce sans même y jeter un coup d'œil, mais je sentais instinctivement que deux personnes s'y trouvaient. La porte du local de sécurité était

120

entrouverte, et je me rendis compte que depuis mon arrivée ma silhouette avait dû apparaître au moins une dizaine de fois dans le champ des caméras de surveillance. Mais le local était désert, personne n'avait pu suivre ma progression sur les écrans. J'avançais toujours sans bruit. Il y avait de la lumière au fond du couloir, et quand j'entrai dans la pièce, je retrouvai Jimmy assis sur son fauteuil à roulettes exactement à la même place que cet après-midi. Les yeux fixés sur un écran, une casquette de baseball à l'envers sur la tête, il tenait à la main un grand gobelet en carton dont il aspirait pensivement le contenu avec une paille. Il se retourna vers moi sans marquer de surprise. Il se contenta de me sourire et de me demander où se trouvait Gu. Je dis qu'il arrivait — je le dis sans réfléchir, je n'avais rien prémédité, et c'était sans doute la meilleure réponse que je pouvais lui faire. Il ne demanda aucune précision supplémentaire, cela ne l'intéressait pas vraiment, dans le fond, de savoir où était Gu. J'allai le rejoindre dans la pièce. Je m'arrêtai derrière lui et lus quelques lignes sibyllines sur l'écran d'un ordinateur par-dessus son épaule : [2016-12-15 22:26:23] *Starter cgminer* 2.7.5 [2016-12-15 22:26:23] *Probing for an alive pool.* Il bâilla en s'étirant, et me dit qu'il était fatigué, qu'il était à son poste depuis le début de l'après-midi. Je lui demandai en quoi consistait son travail, et il me répondit que c'était de la routine, essentiellement du monitoring, vérifier que tout fonctionnait normalement. Même si l'ensemble des données qui s'affichaient devant lui étaient très spécialisées, une fois que les machines étaient lancées, son rôle se limitait à superviser l'ensemble. C'est comme un avion en vol, me dit-il, une fois qu'il a décollé, il n'y a plus rien à faire, seulement être présent en cas d'imprévu. Il ajouta en aspirant bruyamment une gorgée dans son gobelet qu'aux États-Unis, il avait appris à piloter un Boeing. Il releva la tête vers moi pour observer ma réaction. Je le laissai dire, sans faire grand cas de sa vantardise. Il avait appris à piloter sur un ordinateur sans doute, la réalité, dans son esprit, avait tendance à se mêler à ses différentes représentations virtuelles. Mais le temps pressait, et j'allai droit au but. Je lui demandai s'il connaissait les machines AlphaMiner 88, et il me dit que oui, évasivement, sans me donner de détails. Cela pouvait aussi bien être la vérité qu'une répugnance à reconnaître qu'il pouvait exister une machine à miner dont il n'avait jamais entendu parler. À supposer qu'il en sût davantage, il ne semblait pas disposé à m'en dire plus. En tout cas, la voie paraissait bouchée, ce n'était pas par ce biais que j'obtiendrais des renseignements. Je fis alors glisser la conversation sur les coffres-forts électroniques.

Prêchant le faux pour savoir le vrai, je lui dis que les modèles les plus récents devaient être inviolables. Là encore, il ne mordit pas à l'hameçon. S'il avait été capable de percer un coffre-fort électronique, s'il l'avait déjà fait dans le passé, il n'aurait sans doute eu aucune pudeur à s'en vanter et me l'aurait avoué avec une naïveté déconcertante. Il faisait partie de cette génération de jeunes informaticiens surdoués totalement dépourvus de sens moral, qui, par forfanterie, par pure bravade, étaient prêts à tout dévoiler pour mettre en valeur leur exceptionnelle virtuosité technique et leur ingéniosité à toute épreuve. Uniquement fascinés par la technologie, sans aucun frein ou barrière morale pour les retenir, ils étaient complètement déconnectés du réel et n'avaient aucune idée de l'impact que pouvaient avoir leurs actions dans la réalité. Jimmy ne devait sans doute pas être très différent de ces jeunes pirates chinois qui étaient parvenus à s'infiltrer dans le système informatique de banques, et, qui, par jeu, ayant investi les lieux, avaient donné l'ordre à des distributeurs automatiques situés sur d'autres continents de délivrer des billets, qu'un complice allait retirer pour eux. J'avais déplacé une chaise dans la pièce et j'étais venu m'asseoir à côté de lui devant les écrans de contrôle. J'étais en train de penser que je ne tirerais rien de lui ce soir et que je n'obtiendrais sans doute pas la confirmation de ce que j'étais venu chercher. Je ne voyais pas comment aborder la question de la backdoor, à quoi la raccorder et comment tourner ma phrase pour la mettre sur le tapis, quand, ne m'embarrassant plus de précautions et de nuances, je me tournai vers lui et lui dis simplement : « Backdoor. » Je le dis avec une nuance d'interrogation dans la voix, comme une question, ou un défi, et ce fut le sésame. En m'entendant prononcer le mot « backdoor », son regard s'illumina, quelque chose se dénoua, un verrou lâcha, et, soudain mû par un feu intérieur, par une flamme, une ferveur, quelque chose d'irrépressible, comme une nécessité, ou une démangeaison, il fit glisser son siège à roulettes en arrière sur le sol pour aller ramasser son sac à dos et en sortir son ordinateur portable, un PC couvert d'autocollants qu'il alluma sur ses genoux. Il se connecta à internet, entra des codes et des identifiants, les doigts dansant sur le clavier, impétueux et vivaces. Une séquence de démarrage était déjà en cours sur l'écran, où divers composants étaient testés et initialisés, avant que ne s'affichât une fenêtre fixe. À aucun moment, Jimmy ne nomma la moindre machine, à aucun moment il ne cita nommément les noms de AlphaMiner 88 ou de Kaliakras Ltd., ces noms que j'attendais, ces noms que je guettais et qui auraient pu venir étayer mes soupçons. Non, la démonstration qu'il était en train de me faire était une pure abstraction, un exercice de style. Parfois, il trépignait sur son siège devant la lenteur des opérations, agitait le genou d'impatience, dépérissait sur place. Enfin, il pouvait entrer d'autres codes, tapait avec frénésie des adresses sur son clavier. Il poussait des « yes » confirmatifs et triomphants et des « yeeeeh » victorieux chaque fois qu'il franchissait une étape, qu'il vainquait une résistance, surmontait un obstacle ou contournait un pare-feu. Ce qu'il était en train de faire devant moi, c'était de vérifier qu'une porte était ouverte à des milliers de kilomètres de là, pour pouvoir entrer dans une machine inconnue et investir son système. J'y suis, dit-il au bout d'un moment. Il était arrivé à ses fins, il venait de me faire la démonstration qu'il était parvenu à pénétrer à distance dans une machine étrangère à l'aide d'une backdoor. Mais ce que j'ignorais encore, et que je ne compris qu'un peu plus tard, c'est le profit qu'il pouvait en tirer, puisqu'il n'était apparemment pas question de vider les coffres-forts virtuels des machines visitées. Non, il n'y avait pas la moindre effraction. La technique utilisée, beaucoup plus douce, plus invisible, plus retorse, consistait simplement à laisser la machine à laquelle il avait accès travailler et miner des bitcoins et, si la machine visée était la première à résoudre les complexes équations qui donnaient droit à une récompense, de détourner simplement la rémunération, d'actionner un aiguillage virtuel pour faire emprunter aux bitcoins gagnés un canal parallèle et les dérouter du compte de la machine visitée pour les créditer sur un compte qui lui appartenait. Un bruit de pas se fit alors entendre dans le couloir, et un employé de maintenance passa la tête à la porte. Il nous regarda et dit quelque chose à Jimmy en chinois. Il s'ensuivit un échange assez vif entre eux, dont je ne comprenais rien, mais j'avais le sentiment désagréable qu'ils parlaient de moi. Le type, dans l'entrebâillement de la porte, avait un air menaçant, il portait un pantalon de survêtement gris et des vieilles sandales aux pieds. Il repartit, et je demandai à Jimmy ce qu'il voulait. Jimmy, pour me rassurer, fit un geste évasif de la main qui pouvait signifier « cela n'a pas d'importance » ou « laisse tomber », et il m'expliqua que le type avait dit que je n'avais pas le droit d'être là. Nous ne dîmes plus rien dans la pièce pendant un moment, cela avait jeté un froid. Jimmy s'était remis à taper des commandes, plus posément, sur son clavier, et je me contentais de regarder pensivement les données affichées sur l'écran de son ordinateur. Je songeais que la technique de fraude dont il venait de me faire la démonstration, et qui n'était ni plus ni moins qu'un détournement de fonds, présentait l'avantage d'une totale discrétion. Dans le minage de bitcoins, seul le premier à avoir résolu l'équation est rémunéré. On pouvait donc très bien supposer que la partie lésée — la société bulgare Kaliakras Ltd., en l'occurrence, c'est moi qui complétais ce que Jimmy lui-même n'avait jamais affirmé, ni même laissé entendre — devait simplement penser qu'elle n'avait pas été la première à résoudre l'équation, que d'autres dans le monde avaient été plus rapides qu'elle. Le seul problème est que si certaines machines ne généraient jamais aucun bénéfice, on finirait par détecter une anomalie. Il fallait donc agir très discrètement, et ne faire les détournements que par ponctions infimes, espacées dans le temps, pour ne pas être repéré. J'en étais là dans mes réflexions quand, de nouveau, des bruits de pas se firent entendre dans le couloir, mais pas d'un homme seul cette fois, de plusieurs hommes, sans doute tous ceux qui étaient présents dans la mine à cette heure, qui firent irruption dans la pièce avec Gu à leur tête. On avait dû le prévenir par téléphone de ma présence, et il était arrivé sur-le-champ. Il avait le regard sombre. Il dit quelques mots cinglants en chinois à Jimmy, qui, penaud, rangea son ordinateur et alla se replacer sans un mot devant les écrans de contrôle. Gu me dévisagea en silence, attendant une explication. Je ne dis rien, je soutins son regard. Je vous raccompagne à l'hôtel, me dit-il sur un ton sans réplique. Je lui dis qu'un taxi m'attendait en bas. Il me dit qu'il n'y était plus, qu'il l'avait renvoyé.

Le lendemain, je me réveillai un peu après sept heures, les lèvres sèches, les paupières gonflées, l'une d'elles entravée, encroûtée, que je n'arrivais pas à ouvrir. J'avais mal dormi, je m'étais réveillé plusieurs fois pendant la nuit. Encore engourdi, les pieds nus, en pyjama, j'allai m'asseoir au bureau de ma chambre d'hôtel et j'essayai de me connecter à internet, mais la connexion était d'une lenteur exaspérante, et je renonçai. Je m'habillai et allai prendre le petit déjeuner au premier étage de l'hôtel. Avant de remonter dans ma chambre, je passai à la réception me renseigner au sujet de l'accès à internet, et la réceptionniste me confirma que la connexion était très mauvaise dans les étages, mais qu'il y avait du wi-fi dans le hall. Je retournai chercher mon MacBook Air dans ma chambre, et je cherchai un endroit où m'installer dans le hall pour consulter mes mails. Cela faisait deux jours que j'avais quitté Bruxelles, et je n'avais pas encore eu l'occasion de relever mes messages. L'hôtel était très animé ce matin. C'était un de ces hôtels chinois, non pas luxueux, mais fonctionnels, avec des lustres clinquants au plafond et un lobby en faux marbre extrêmement spacieux, que des visiteurs traversaient en tous sens, certains sortaient de l'ascenseur et se rendaient à la réception, d'autres entraient par les portes à tambour, tandis qu'un groupe de touristes chinois sur le départ ou qui venaient d'arriver patientait au milieu du hall devant un monticule de bagages qui avait été balisé de piquets de mise à distance. Tous les sièges étaient occupés dans le hall, les rares canapés avaient été pris d'assaut, où des gens désœuvrés attendaient devant des sacs et des valises, bercés par la musique sirupeuse de *Jingle Bells* qui tournait en boucle dans les haut-parleurs. Je m'étais isolé autant que faire se peut, debout dans le hall, le dos en appui contre un pilier. Mon ordinateur en équilibre dans une main, j'avais réussi à me connecter à internet. Mais, comme je ne disposais pas de réseau privé virtuel pour contourner la censure, il me fut impossible d'accéder à ma messagerie électronique. Appuyé à la colonne, mon MacBook Air à la main, je me servais du moteur chinois Baidu pour faire des recherches, agacé par la mélodie de *Jingle Bells* que ne cessait de diffuser un haut-parleur au-dessus de ma tête. À un moment, je dus me rendre aux toilettes, et je crus que j'échapperais à la glu guillerette de *Jingle Bells*, mais la musique me poursuivit jusque dans les toilettes. Quasiment tous les urinoirs étaient occupés dans le vaste local sanitaire. En face d'un grand miroir mural, se trouvait une rangée d'une dizaine de cabines individuelles. Un type finissait de s'égoutter les doigts au-dessus du lavabo, un autre se passait les mains sous un séchoir électrique. J'avais mon ordinateur à la main, et je renonçai aux pissotières, préférant m'épargner d'inutiles contorsions pour déboutonner mon pantalon. Je trouvai refuge dans une cabine individuelle, et je rabattis le loquet. Je posai mon ordinateur par terre et défis mon pantalon, m'assis sur la cuvette. Je ressentis aussitôt un sentiment de silence et de calme comme je n'en avais plus éprouvé depuis longtemps. À l'abri dans ce lieu clos, je ne bougeais plus. Je ne faisais absolument rien, je savourais l'instant présent. Je continuais d'entendre les bruits du monde, au loin, de l'autre côté de la cloison, des écoulements d'eau, quelques notes étouffées de *Jingle Bells*. Je ne m'étais pas retiré dans cette cabine depuis deux minutes que les battements de mon cœur s'accélérèrent de façon vertigineuse. Je fus saisi d'effroi. Une main apparut devant moi sous la porte, une main abstraite, sortie de tout contexte, qui entra dans mon champ de vision à la hauteur de mes pieds, une main autonome, isolée, qui s'agita un instant dans le vide, et qui se mit à scruter l'air, à le fouiller, rapide, précise, millimétrée, qui toucha mes chaussures, dont elle tâta fugitivement l'empeigne, avant de poursuivre sa route et de rencontrer mon ordinateur, qu'elle se mit à palper sur le carrelage. Et, moi, pétrifié, cloué sur place, incapable de bouger, je vis alors la main refermer le couvercle de mon MacBook Air et le glisser prestement sous la cloison pour s'en emparer. Cela n'avait pas duré dix secondes. Je ne réagis pas sur-le-champ, je restai un instant paralysé, assis sur la cuvette, interdit, incapable de réagir, mais, d'un coup, je me ressaisis, je me relevai en remontant mon pantalon, et, sans même me boutonner ni serrer ma ceinture, je soulevai le loquet du verrou et me jetai dehors. La première chose que je vis, fugitivement, dans le grand miroir mural qui me faisait face, c'est ma propre silhouette débraillée, affolée, désorientée, les mains encore occupées en haut du pantalon à remonter ma braguette. Poursuivant ma route en bousculant deux personnes devant la porte qui entraient dans les toilettes, je pensais pouvoir encore rattraper le fugitif. J'étais sur sa trace, j'étais dans son sillage, il ne pouvait pas avoir pris tellement d'avance sur moi. Si je l'apercevais au loin, je pourrais encore reconnaître mon ordinateur dans ses mains et fondre sur lui pour le récupérer. Débouchant, à grands pas, dans le hall, encore agité, bouleversé, le regard perdu, à l'affût, scrutateur, qui allait du comptoir de réception à la cabine d'ascenseur ouverte au rez-de-chaussée, j'inspectais rapidement tous les visages du regard. Je tournai la tête vers l'entrée de l'hôtel et vis un homme, de dos, une silhouette qui me parut suspecte, qui était en train de passer la porte à tambour. Je voyais l'ombre de dos qui s'éloignait dans la rue, et je me ruai à sa poursuite, je passai moi aussi la porte à tambour, je poussai le verre de la main pour faire tourner la porte plus vite, mais, dans mon impatience, je bloquai le mécanisme, qui s'arrêta un instant, avant de repartir, ce qui me retarda d'autant, et, quand je débouchai dans la rue, au grand air, dans le froid piquant du matin, je vis l'homme, la silhouette, qui montait dans un taxi et disparaissait. Il n'y avait plus rien à faire, je ne pouvais pas me mettre à courir dans la rue derrière un taxi sans avoir aucune preuve que l'homme qui se trouvait à bord m'avait volé mon ordinateur. Je revins sur mes pas, tête basse, je repassai la porte à tambour pour rentrer dans le hall de l'hôtel, où je fus accueilli par une bouffée de *Jingle Bells*, dont le refrain folâtre semblait me narguer, *Jingle bells, Jingle bells, Jingle all the way!* Je refis le tour du hall sans conviction, je retournai dans les toilettes pour observer les lieux et essayer de comprendre ce qui s'était passé. Je revins dans le hall, je ne faisais qu'aller et venir avec indécision. Je me sentais vide, impuissant, humilié. J'étais encore sous le coup de l'émotion, quand, mon regard se portant de nouveau vers l'entrée, je vis apparaître Gu dans la porte à tambour, je vis Gu qui entrait dans l'hôtel accompagné d'un homme à lunettes en manteau cintré, qui s'avéra être le consul général de France. Sur le moment, je demeurai absent pendant que Gu faisait les présentations, j'écoutais à peine ce que disait le consul. Ce que je me demandais, c'est ce que Gu faisait là. Comment se faisait-il que, juste au moment où on m'avait volé mon ordinateur, juste au moment où cela s'était passé, Gu ait été présent dans les parages de l'hôtel ? Je ne l'accusais pas d'être personnellement responsable du vol, d'avoir volé lui-même l'ordinateur, mais il devait sans doute connaître le voleur, c'était même sans doute lui qui avait dû lui donner les instructions et dire à quoi je ressemblais, c'est lui qui avait dû lui montrer discrètement du bras ma silhouette à travers la vitre de l'hôtel, de sorte que l'autre avait pu m'observer pendant un moment dans le hall avant de me suivre dans les toilettes, tandis que Gu demeurait à l'extérieur de l'hôtel, en commanditaire embusqué, à guetter son retour, pour vérifier que l'opération avait été menée à bien, l'arrivée du consul n'étant qu'un prétexte, une couverture, l'occasion pour Gu d'arriver au rendez-vous à l'heure dite avec un alibi vivant. Tant de choses se précipitaient dans mon esprit en ces minutes agitées, et je songeais que la veille, très tard, en rentrant à l'hôtel, j'avais rédigé une note pour relater ce que j'avais découvert dans la mine et synthétiser mes soupçons dans un mémo qui se trouvait dans mon ordinateur, et qui devait toujours se trouver dans mon ordinateur, même si moi je n'y avais plus accès maintenant. J'étais toujours debout dans le hall en face des deux hommes. Gu, le regard sombre, le même regard sombre dont il ne s'était pas départi depuis la veille, me demanda si nous pouvions y aller, et je lui demandai juste un instant, il fallait que je repasse dans ma chambre chercher mon manteau.

J'ouvris la porte de ma chambre. Je me sentais vide. Je sortis mon manteau de l'armoire, je le retirai du cintre sur lequel il était accroché et voulus replacer le cintre dans l'armoire, mais je n'y arrivais pas, c'était un cintre antivol qui n'avait pas de crochet, et je ne parvenais pas à le refixer sur la tringle, je tâtonnais, je m'évertuais, en vain, et je perdais patience. Et, si jusqu'à présent j'avais pu me contenir, je passai soudain ma rage contre ces saloperies de cintres antivols, dont la partie haute, le crochet, est solidaire de la tringle, et la partie basse est surmontée d'un simple clou, comme un moignon qu'on ne peut accrocher nulle part. Pour suspendre un vêtement à de tels cintres amputés, il fallait soit se contorsionner dans l'armoire pour accrocher son manteau sans décrocher le cintre, soit, si on retirait le cintre pour déposer son manteau, s'escrimer ensuite pour refixer le pôle mâle du crochet à la partie femelle, qui restait solidaire de la tringle. J'avais toujours le cintre à la main, et, de plus en plus enragé, essayant une dernière fois de le fixer, je finis par le faire valdinguer par terre avec agacement. Pour me passer les nerfs, je décrochai alors tous les cintres de la tringle, et j'allai en jeter une poignée dans la poubelle de salle de bain, je les fichai à la verticale dans la poubelle, où ils restèrent en exposition, comme un bouquet de tulipes. Puis, ouvrant ma valise, je balançai les autres cintres à la volée au-dessus de mes vêtements et je refermai ma valise, avec l'intention de les emporter avec moi quand je quitterais l'hôtel.

J'allais les voler, oui, j'allais voler ces cintres anti-vols, et qu'on ne s'avisât pas de me faire une réflexion, dans cet hôtel où on m'avait volé mon ordinateur. Pour démontrer que cette bassesse, de rendre les cintres inutilisables pour les préserver du vol, ne les protégeait en rien, j'allais voler ces cintres antivols, et chaque fois que j'en verrais de semblables, je les volerais également, et je demanderais à tout le monde d'en faire autant, j'en ferais une croisade, je lancerais un appel sur les réseaux sociaux, je ferais passer une directive européenne, j'en parlerais à mes enfants, à Alessandro, et même aux jumeaux, à neuf ans, on écoute son père, je leur décrirais le type de cintres visés, et je leur expliquerais que chaque fois qu'ils en repéreraient d'identiques, systématiquement, il fallait les détruire ou les voler. Mais qui avait eu cette idée démoniaque et mesquine d'amputer les cintres de leur crochet pour qu'on ne pût pas les voler ? N'était-ce pas, de surcroît, la négation même du principe du cintre ? Je mis mon manteau en écartant du pied avec rage le cintre que j'avais jeté par terre qui se trouvait sur mon chemin sur la moquette. Je sortis de la chambre en claquant violemment la porte. J'étais furieux. Et il me traversa alors l'esprit, putain de merde, que le texte de ma conférence de Tokyo se trouvait dans mon ordinateur.

Je ne dis rien dans la voiture, je ne desserrai pas les dents de tout le trajet. Je ne comprenais pas bien le sens de la réunion où m'avait conduit Gu, et je ne cherchais pas à en savoir davantage. Une dizaine de personnes avaient été réunies là dans un bâtiment officiel de la ville. Nous nous tenions dans une salle impersonnelle autour d'une table sombre en bois vernis. J'étais abattu, et je ne faisais aucun effort pour participer aux débats. Mes gestes, mes regards, avaient quelque chose de lent et de somnambulique. Je sentais bien que mon apathie avait été perçue par l'assistance, une gêne avait commencé de s'installer autour de la table. C'est moi, avec mon statut d'hôte d'honneur, qui présidais la tablée, et je ne disais rien, je gardais la plupart du temps la tête baissée. Je repensais à la main, à la main qui était apparue dans mon champ de vision sous la cloison des toilettes, et j'essayais de me souvenir de sa forme et de ses caractéristiques, d'en faire le signalement, le plus précis possible. Une main d'homme, imberbe, sans doute asiatique, mais c'était difficile à dire, avec une chevalière, c'était le seul élément tangible, la main portait une chevalière, et je me demandais si j'aurais été capable de reconnaître cette chevalière. Insensiblement, sans y prendre garde, je me mis à observer les mains des personnes présentes dans la salle. La plupart étaient soignées, les ongles étaient courts, bien entretenus, des mains croisées sous le menton ou posées sur la table, l'une d'elles tenait un stylo et prenait des notes dans un carnet, des mains toutes aussi anonymes que celles de l'inconnu qui m'avait volé mon ordinateur, des mains immobiles que je voyais sortir des manches des costumes, des mains avec des montres aux poignets, des mains avec un téléphone entre les doigts, des mains avec des alliances, parfois une bague, mais pas de chevalière.

À l'issue de la rencontre, dans une salle adjacente, avait été organisée une réception sommaire, avec quelques boissons sur une table en bois rudimentaire. C'était une salle sombre et vide, avec une moquette rase. Un micro sur pied était dressé sur une estrade. Un officiel prit la parole, dit quelques mots en chinois, et je compris qu'on parlait de moi, j'en eus d'ailleurs très vite la confirmation quand un homme se faufila dans l'assistance et vint se placer derrière mon épaule pour me chuchoter à l'oreille la traduction du discours. Il était question d'échanges internationaux, de talent, de compétence, de perspectives à long terme. On me fit monter sur l'estrade, et je compris qu'on allait me remettre une médaille de la ville. Il n'était pas question de refuser cet honneur ou même d'exprimer une réticence, déjà une jeune femme s'avançait vers moi pour me présenter un écrin, dans lequel je découvris, quand elle l'ouvrit, sur un coussinet de soie, une médaille dorée, avec une vue stylisée de gratte-ciel agrémentée d'idéogrammes. Je reçus cette marque d'honneur comme une humiliation supplémentaire. Mais je tâchai de faire bonne figure et je me fis violence pour prononcer quelques mots de remerciements. Je m'approchai du micro et dis que j'étais très touché. J'ajoutai que — je ne savais pas, je ne savais plus quoi dire. Il y eut un moment d'hésitation, puis un blanc, je ne parvenais pas à enchaîner. Je sombrais, je me noyais. J'étais debout en face du micro, et, le regard égaré, je ne parvenais pas à penser à autre chose qu'à l'ordinateur qu'on m'avait volé. Une heure à peine s'était écoulée depuis le vol de mon ordinateur, et, si, dans le feu de l'émotion, dans les moments d'agitation qui avaient suivi, j'avais pu accuser Gu d'être mêlé au vol, je me rendais bien compte maintenant que cela n'avait aucun sens. Quel intérêt aurait eu Gu à me voler mon ordinateur ? Comment Gu aurait-il pu savoir que cet ordinateur contenait la note que j'avais rédigée la veille sur ce que j'avais découvert dans la mine ? Et, du reste, qu'avais-je découvert ? Je n'avais pas la moindre preuve, je n'avais pas le moindre élément tangible pour démontrer la fraude que je pouvais suspecter. Et quand bien même Gu

139

eût-il su que j'avais rédigé une note, qu'est-ce que cela changeait, ce n'était pas en faisant disparaître l'ordinateur qu'il ferait disparaître mes soupçons. Rien n'effacerait de ma mémoire ce que j'avais appris la veille de potentiellement compromettant pour la société BTPool Corporation, et rien ne pourrait m'empêcher de rédiger une nouvelle version de cette note et de la rendre publique. Debout en face du micro, je sentais une onde de malaise croissant qui traversait l'assistance depuis que je m'étais interrompu. Mais je ne parvenais pas à dire un mot supplémentaire. Je croisai le regard de Gu debout en face de moi, son regard toujours aussi noir, qui me dévisageait avec attention, un regard dur, sans la moindre bienveillance, comme s'il observait un homme en mauvaise posture sur un toit et qu'il attendait de le voir tomber, sans un geste pour lui venir en aide. Je savais que je n'aurais pas dû entreprendre ce voyage en Chine, je savais qu'en me rendant à Dalian, j'irais au-devant de grandes difficultés. J'avais eu mauvaise conscience dès le départ d'entreprendre ce voyage sans en référer à personne. J'avais eu très vite l'intuition que cela pourrait mal finir, et j'en avais maintenant la pénible confirmation, le vol de mon ordinateur n'en était que la plus cruelle illustration. Mais, au-delà de la honte et de l'humiliation de m'être fait voler mon ordinateur dans les toilettes, le plus douloureux, ce qui m'affectait le plus en ce moment, c'est que j'avais la conviction que ce n'était pas fini, que le pire était encore devant moi. J'avais le pressentiment d'un désastre imminent. Je suis désolé, dis-je, et je m'interrompis. Je quittai le micro, je descendis de l'estrade. On vint vers moi pour me demander si j'allais bien, si je voulais un verre d'eau. Je me laissai tomber sur la chaise qu'on m'apportait. Je transpirais, je défis le col de ma chemise qui était noyé de sueur. Je ne répondais pas aux questions, j'avais le regard hagard, et, d'un coup, j'abrégeai la séance, j'allai droit sur Gu pour lui dire que je voulais rentrer à l'hôtel. Je remis mon manteau, titubai vers la sortie. Après un détour par l'hôtel pour prendre ma valise, Gu me reconduisit à l'aéroport sans dire un mot. Il régnait une ambiance funèbre dans la voiture. Il descendit pour sortir ma valise du coffre devant l'aérogare de l'aéroport international de Dalian, mais il ne m'accompagna pas à l'intérieur pour l'enregistrement. Lui non plus ne voulait plus entendre parler de moi, lui aussi m'avait assez vu.

III

J'atterris à Tokyo en fin d'après-midi. Il faisait déjà nuit quand je rejoignis le campus de l'université Todaï à Hongo. Le professeur Nakajima m'attendait dans le hall de réception du Sanjo Conference Hall. Il me souhaita la bienvenue et me laissa m'installer dans la chambre qu'il avait réservée à mon intention dans la résidence hôtelière de l'université. Je ne m'attardai pas dans la chambre, je déposai ma valise et allai le rejoindre dans le restaurant de la résidence, où une dizaine de professeurs dînaient dans une ambiance feutrée. J'étais heureux de retrouver le professeur Nakajima, sa présence amicale et discrète m'apportait un peu de réconfort après les heures éprouvantes que je venais de vivre. Le très jeune maître d'hôtel (en réalité un étudiant de l'université qui faisait un stage, m'apprit le professeur), était venu prendre la commande. Il prenait son rôle très au sérieux, et nous donnait des explications détaillées et rigoureuses, en tendant avec déférence les doigts qui tenaient le stylo vers le menu plastifié. Il fallait choisir entre un menu A avec de la viande et un menu B avec du poisson, et nous prîmes tous les deux du poisson. J'étais fatigué et tendu, mais le professeur Nakajima parvint à adoucir l'atmosphère par l'exquise courtoisie de son accueil. Il n'y eut qu'un moment où il me mit, bien involontairement, en difficulté, c'est quand il me demanda, le plus innocemment du monde, si j'avais fait bon voyage. Il ne savait évidemment pas que j'arrivais de Chine, il ne pouvait pas soupçonner et ne soupçonnerait jamais qu'en marge de ce voyage au Japon, j'avais ménagé une parenthèse chinoise secrète, et que c'était de Dalian que je venais d'arriver, et non de Paris, comme il devait le penser. Mais, sans avoir à mentir ouvertement, puisque je venais quand même de faire un voyage en avion, c'est à ce dernier vol que je me référai pour répondre à sa question, en précisant que le vol m'avait même semblé plus court que prévu. Il ne poussa pas les investigations plus loin, il n'était pas dans son tempérament d'insister et de mettre son interlocuteur dans l'embarras. Le professeur Nakajima était d'une très grande discrétion et d'une parfaite pudeur et, s'il venait à aborder des questions personnelles, ce n'était qu'avec d'infinies précautions. Ainsi se garda-t-il par exemple de me demander directement des nouvelles de Diane (pour le cas avéré, même s'il l'ignorait, où nous ne vivrions plus ensemble), il se contenta d'évoquer son nom poliment dans la conversation, en le faisant suivre d'un silence en guise de points de suspension, qui me permettait d'en dire plus si je le souhaitais, ou de ne rien ajouter si je préférais éviter le sujet, ce que je fis.

J'avais fait la connaissance de Kosaku Nakajima à Paris il y a plus de vingt ans. Il n'était alors qu'un jeune professeur prometteur (alors qu'il est maintenant un des professeurs les plus respectés de Todaï), et moi je travaillais à l'époque pour l'association Futuribles. Je me souviens qu'un jour, en 1996, ou en 1997, l'encore jeune professeur Nakajima, de passage à Paris, était venu me retrouver au bureau et avait été extrêmement impressionné, en arrivant au 55 rue de Varenne, de se rendre compte que c'était l'hôtel Matignon. En réalité, c'était l'immeuble voisin que nous occupions, un hôtel particulier du XVIIIᵉ siècle, mais comme l'immeuble était mitoyen de la résidence du Premier ministre et que la cour donnait sur les jardins de Matignon que nous apercevions de nos fenêtres, il me considéra depuis ce jour avec un respect immérité qui ne se démentit plus. Pourtant, dans cet hôtel particulier qu'avait investi Futuribles, qui comptait une grande salle de réunion avec des moulures au plafond et un vaste sous-sol voûté, où étaient stockées les archives de Gaston Berger dont nous avions la charge, la pièce qui m'avait été attribuée était l'ancienne salle de bain. Il y avait encore, comme en attestait la présence d'une chape de béton grisâtre sur le sol, le vestige invisible d'une baignoire absente. La frise de mosaïques bleues qui décoraient les murs venait parfaire l'illusion et le visiteur de passage pouvait vraiment avoir l'impression que je travaillais dans une salle de bain. Pour le reste, des monticules de journaux, de livres et de revues, de notes et d'articles découpés, de ciseaux et de flacons de Tipp-Ex encombraient ma table de travail. J'avais la responsabilité de la revue qu'éditait l'association, et je m'occupais à la fois des relations avec les auteurs et de la fabrication, de la correction des textes et de la mise en page. Par la suite, lorsque j'étais entré à la Commission européenne, nous nous étions perdus de vue avec le professeur Nakajima. J'avais rejoint la Direction générale des transports, et ce qui touchait au *foresight* n'était plus au cœur de mes activités. Je n'avais plus suivi que de loin les effervescences, les glougloutements et les fermentations du petit monde de la prospective. Mais nous avions repris contact en 2014, lorsqu'on m'avait confié la direction d'une unité de prospective au Centre commun de recherche. Nous nous étions alors revus régulièrement, j'avais même reçu le professeur Nakajima à Bruxelles lors d'une journée d'études du Parlement européen.

Je passai une très mauvaise nuit à Tokyo, je me réveillai plusieurs fois et je fis des cauchemars. J'étais enfin parvenu, aux aurores, à me couler dans une phase de sommeil plus profond, quand, vers sept heures du matin, je fus réveillé par des cris et des coups de sifflet qui provenaient de l'extérieur. Je me levai, pieds nus, et je soulevai le rideau. Le regard encore ensommeillé, j'aperçus derrière la vitre un stade de baseball entouré de grillages où une centaine d'étudiants, répartis par brigades qui portaient des casquettes de différentes couleurs, faisaient des exercices d'échauffement sous la conduite d'instructeurs munis de sifflets. Je laissai retomber le rideau et allai me recoucher, mais je ne parvins pas à me rendormir. Je demeurais dans le lit, je ne cessais de revenir en pensées sur le vol de mon ordinateur. Je le voyais comme un mauvais présage, la première morsure d'un cycle de désastres. Avant même de me lever complètement, je ressortis de mon lit, en pyjama, pour aller prendre mon téléphone dans la poche de mon pantalon. J'allai me recoucher et allumai le téléphone dans le noir au-dessus de mon visage qui afficha en haut à gauche de l'écran « Aucun service ». Depuis la veille, il affichait ce même message immuable : « Aucun service ». J'avais pourtant désactivé le mode avion dès mon arrivée à Tokyo, pour être de nouveau joignable au Japon et mettre un terme à ces deux jours de blanc dans mon emploi du temps. Il n'y avait plus de raison maintenant que je cache où je me trouvais, au contraire même. Mais, par malchance ou contretemps, je n'avais pas réussi à avoir de réseau. Je ne comprenais pas ce qui se passait, peut-être y avait-il une mise à jour que je n'avais pas effectuée, ou bien le modèle de mon téléphone n'était-il pas compatible avec les opérateurs japonais. Rien n'y faisait, depuis la veille, j'avais éteint deux ou trois fois complètement l'appareil et je l'avais rallumé aussitôt pour essayer de le connecter à l'antenne réseau la plus proche. À chaque fois, le message « Recherche » s'affichait sur l'écran, qui finissait toujours par buter sur le même message inflexible « Aucun service ».

J'étais inquiet, cela faisait quatre jours que j'avais quitté Bruxelles et que je n'avais plus de nouvelles, et cette inquiétude récente, encore diffuse, venait s'ajouter au sentiment persistant de catastrophe imminente que j'éprouvais depuis le vol de mon ordinateur. J'occupai une grande

partie de cette première matinée à Tokyo à réécrire ma conférence. Le texte de mon exposé,
les tableaux et illustrations qui l'accompagnaient,
ainsi que l'ensemble de la documentation que
j'avais réunie sur le sujet, se trouvaient dans
l'ordinateur qu'on m'avait volé à Dalian. Je
n'avais plus rien. Comme mon intervention était
prévue le jour même, je n'avais d'autre choix que
de tout reprendre à zéro, de reconstituer ma conférence à partir de rien, de mes seuls souvenirs.
Après le petit déjeuner, que je pris seul dans la
salle à manger de la résidence, j'expliquai au maître d'hôtel (le même que celui qui nous avait
servis la veille avec le professeur Nakajima), que
j'avais besoin de papier pour écrire, et il revint
quelques instants plus tard m'apporter, avec
cérémonie, une feuille de papier à lettres à en-
tête du Sanjo Conference Hall, qui était ornée
d'une feuille de ginkgo stylisée, l'emblème de
l'université de Tokyo. Je lui dis que c'était par-
fait, mais que j'aurais besoin de davantage de
feuilles, et je parvins, par étapes successives, à en
obtenir une vingtaine. Je restai un long moment
assis à ma table, pensif, mon stylo à la main.
J'étais mal réveillé, je n'arrivais pas à m'y mettre.
En Europe, il devait être trois heures du matin,
et j'avais le sentiment de devoir réécrire ma conférence en pleine nuit.

151

En introduction de ma conférence, je me proposais de rappeler que, même si le bitcoin était l'application la plus utilisée et la plus connue de la technologie blockchain, il y avait bien d'autres domaines d'application possibles. Je me mis alors à écrire en toutes lettres sur ma feuille, de mon écriture manuscrite dont je ne faisais quasiment plus usage : « En d'autres termes, la focalisation exclusive du public et des médias sur la crypto-monnaie bitcoin pourrait nous détourner d'un débat plus productif sur le large éventail d'opportunités et de défis que présente la technologie blockchain. » J'étais seul dans la salle à manger déserte, et je travaillais là au calme. J'étais en train d'écrire ma phrase, et je me rendais compte combien il était fastidieux d'écrire à la main, il y avait si longtemps que je ne l'avais plus fait. Ma main, engourdie, malhabile, avait du mal à tracer les lettres sur le papier. Après l'introduction, j'avais l'intention de dire un mot d'Everledger, pour évoquer un cas concret d'usage de la blockchain. Everledger était une start-up basée à Londres, qui utilisait la blockchain pour développer une technologie spécifique pour protéger les diamants du vol et de la fraude. L'idée, très simple, était de créer un registre universel de pierres précieuses. Pour chaque diamant, Everledger distinguait quarante caractéristiques, tels que la coupe, la clarté et le lieu d'origine. Un numéro de série était ensuite généré pour chaque diamant, qui était tracé à l'aide d'un microscope électronique sur sa surface, et l'identification numérique était ajoutée à la blockchain d'Everledger, ce qui rendait son enregistrement inviolable. Je bus une gorgée de café, et je relus la première page que j'avais remplie, que je rangeai sur le côté. Je pris une deuxième feuille de papier à lettres filigrané à en-tête de l'université de Tokyo et j'entrai dans le vif du sujet. Je repris, de mémoire, les principales têtes de chapitre de mon rapport pour énumérer les domaines où la technologie blockchain pourrait être utilisée à l'avenir avec profit : brevets, contrats intelligents, contenus numériques, vote électronique. Sous chaque rubrique, j'écrivis quelques mots de synthèse, un simple pense-bête, que j'avais l'intention de développer pendant la conférence.

En début d'après-midi, le professeur Nakajima vint me chercher à la résidence hôtelière de l'université. Le colloque avait lieu au Tokyo International Forum, dans le quartier d'affaires de Marunouchi. Après une demi-heure de taxi, nous arrivâmes devant le grand bâtiment du Forum International, dont le profil d'acier et de verre arrondi épouse le contour des voies ferrées à côté de la gare de Tokyo (on ne manque jamais d'apercevoir sa silhouette depuis la vitre du Shinkansen quand on arrive en train à Tokyo). L'organisateur du colloque nous attendait dans l'atrium. Il nous conduisit au quatrième étage pour procéder à quelques essais techniques. Le début de la manifestation n'était prévu que dans deux heures, mais, comme souvent au Japon, rien n'avait été laissé au hasard, tout était minutieusement préparé et devait être répété en présence des participants. Lorsque nous entrâmes dans l'auditorium, je découvris une immense salle de spectacle dont la jauge devait dépasser les mille places, peut-être mille cinq cents places. Je me sentis soudain mal à l'aise, je n'avais pas compris que ma conférence aurait lieu dans un aussi vaste auditorium. On me demanda de monter sur scène pour des essais de micro. Le technicien, extrêmement courtois, me demanda de dire quelques mots dans le micro pour affiner ses réglages, puis de faire quelques phrases complètes. Très tenace, aussi opiniâtre qu'obséquieux, il me demanda si c'était possible que je prononce le début de mon discours. On profitait également de ma présence sur scène pour faire des essais de lumière, je sentais des faisceaux de clarté blanche glisser fluidement sur mon visage et sur mes mains, tandis que l'intensité des projecteurs montait et descendait par vagues sur la scène. Au même moment, un jeune technicien, en jeans et baskets, un casque nomade sur la tête, vint me trouver, des câbles et un adaptateur à la main, pour le branchement de mon ordinateur. Je lui dis que ce n'était pas la peine, que finalement je ne me servirais pas d'ordinateur. Mais un tel changement de programme ne s'improvisait pas avec autant de légèreté au Japon, et, à peine quelques minutes plus tard, il reparut sur scène accompagné d'un régisseur, un cahier à la main, qui me rappela, preuve à l'appui, que j'avais demandé pour la conférence un branchement à un écran externe pour un MacBook Air, et il m'indiqua la ligne où la demande avait été consignée. Escaladant quelques marches en provenance de la salle, le professeur Nakajima, les mains dans les poches de son manteau, nous rejoignit sur scène et vint se mêler à la conversation. Comme je n'avais pas encore répondu au régisseur, ne sachant quel prétexte évoquer pour me justifier, je me contentai de lui confirmer que je n'avais pas besoin d'ordinateur, et le professeur Nakajima, sans penser à mal, simplement surpris, et même décontenancé, me dit : « Tu n'as pas pris ton ordinateur ? » Je ne sus que répondre. Ils me regardaient tous les trois, et j'étais extrêmement gêné. Au lieu d'avouer tout de suite qu'on m'avait volé mon ordinateur, j'avais préféré taire l'incident. Je n'aurais même pas été obligé de dire qu'on me l'avait volé en Chine, si j'avais tenu à garder secrète la partie

155

chinoise de mon voyage (j'aurais pu inventer que le vol avait eu lieu dans le TGV ou à Roissy). Non, je n'en avais parlé à personne, ni à Gu ni au professeur Nakajima, parce que j'avais honte, et que cette honte était encore accentuée par le fait que c'était dans les toilettes de l'hôtel qu'on m'avait volé mon ordinateur. Je m'étais muré dans le silence, je m'étais enfermé dans ce refus d'exprimer les choses (mais j'avais peur de révéler quoi exactement, que j'avais été victime d'un vol ? qu'il m'arrivait d'aller aux toilettes ?), et je me retrouvais maintenant là, démuni et anxieux, à devoir fournir des explications impossibles sur la scène de ce théâtre. Car il n'y avait pas d'explication rationnelle à donner, il n'y avait pas de réponse valable à cette question : pourquoi, plutôt que de me servir de mon ordinateur, je préférais donner ma conférence avec les quelques notes que j'avais réunies ce matin à la va-vite sur du papier à lettres à en-tête du Sanjo Conference Hall ?

C'est l'organisateur qui me tira provisoirement de ce mauvais pas en venant m'enlever à mes interlocuteurs pour me conduire dans son bureau, où il avait quelques papiers à me faire signer. Il me remit également le programme du colloque, une luxueuse brochure sur papier glacé avec les photos et de brèves biographies des participants, que je feuilletai un instant debout dans son bureau. Deux autres orateurs étaient prévus dans la même session que moi, un Japonais, fondateur d'une start-up spécialisée dans la blockchain, et un Américain, professeur à Stanford. Après une introduction de quinze minutes — tout était très strictement minuté — par le président de séance, nous disposions chacun de quarante-cinq minutes pour notre conférence. Me raccompagnant dans les coulisses, l'organisateur me fit visiter ma loge, une loge spacieuse avec l'habituel miroir de maquillage couronné d'ampoules, une moquette sombre, deux fauteuils et un lit. Dans la pièce attenante, commune à tous les orateurs, se trouvait une table de régie avec des boissons, des biscuits, des fruits secs. Un moniteur était fixé au mur, qui diffusait un plan fixe de la salle qui était pour l'instant toujours vide, on apercevait quelques silhouettes de techniciens qui s'activaient encore sur la scène. L'organisateur me demanda si je voulais me reposer avant la conférence, et il me laissa seul. Après son départ, je fermai la porte de ma loge à clé et allai éteindre toutes les lampes dans la pièce, heureux d'être de nouveau seul et coupé du monde. Je m'étendis sur le lit tout habillé dans le noir. J'étais fatigué, aussi bien physiquement que nerveusement. Je venais de passer deux très mauvaises nuits, et l'anxiété que j'éprouvais maintenant à l'approche de cette conférence était encore renforcée par l'angoisse irrationnelle que j'éprouvais depuis la veille. Comme il faisait très chaud dans la loge, je finis par me relever et j'enlevai mon manteau, que j'allai pendre dans l'armoire. J'ôtai ma cravate, et mon pantalon. Je n'avais gardé que ma chemise blanche, dont j'avais déboutonné le col, et j'avais été me recoucher sur le lit, en caleçon et chaussettes. Je m'étais blotti sous la couverture. Les yeux fermés, la joue collée contre l'oreiller, j'essayais de m'endormir.

Je crois que je parvins à dormir, pas longtemps, une vingtaine de minutes, une demi-heure peut-être, quand je fus réveillé par des coups qu'on donnait à ma porte. Je me levai, endormi, en chemise et en chaussettes, et ouvris la porte. Un régisseur de plateau, avec un casque audio et un talkie-walkie, me dit que le colloque commençait dans cinq minutes, *five minutes*, répéta-t-il, et il fit cinq avec la main. Je le remerciai et refermai la porte. Je rallumai la lumière dans la loge. Comme je n'étais que le deuxième orateur, il me restait encore près d'une heure avant mon entrée en scène. Je me passai de l'eau sur le visage au lavabo et je commençai à m'habiller, je nouais pensivement ma cravate en me regardant dans la glace. Sortant de la loge, je traînai un instant dans la pièce commune, où je croisai l'universitaire américain, qui se leva pour me serrer la main. Rien de plus, nos échanges s'en tinrent là. Je me servis un verre d'eau et levai la tête pour jeter un coup d'œil sur le moniteur de contrôle, l'organisateur avait fini sa présentation et c'était le Japonais fondateur d'une start-up qui était à la tribune. Dix minutes avant mon entrée en scène, tout s'accéléra, le régisseur de plateau vint me chercher et me guida avec une lampe de poche dans le dédale des coulisses. Je descendais derrière lui un escalier étroit, nous longeâmes un mur où des panneaux de décor étaient entreposés dans l'obscurité, pour déboucher finalement en bordure de scène. L'orateur était à quinze mètres de moi, debout derrière son pupitre, une tablette tactile à la main dont il se servait pour faire défiler des images sur l'écran géant. Je l'observais depuis les coulisses, immobile derrière le rideau. L'orateur finit son discours, et quitta la scène sous les applaudissements. Il me croisa sans un regard. J'étais seul dans les coulisses, attendant le top départ, en bordure de la scène vide. Le noir se fit alors dans la salle, et j'entendis mon nom résonner dans les haut-parleurs du théâtre. *Mister Jean Detrez. Head of Unit at the Joint Research Center of the European Commission.* Puis, la lumière revint, et le régisseur, d'un geste de la main, m'engagea à entrer sur scène. Je fis les quinze mètres qui me séparaient du micro sans penser à rien, l'esprit vide, les yeux fixés sur le cap que je m'étais fixé, le pupitre vers lequel j'avançais. Je pris place derrière le pupitre et commençai mon exposé. Peur, haine, agressivité, ambition, dis-je en m'approchant du micro, sont les principaux constituants du côté obscur de la force. Vous connaissez sans doute l'expression « côté obscur de la force » qui vient de l'univers de *Star Wars*, la saga cinématographique de George Lucas qui a marqué notre univers contemporain. Mais saviez-vous qu'il existe aussi un côté obscur de la blockchain, et que ce côté obscur de la blockchain, c'est le bitcoin. J'enchaînai sur ce qu'étaient, à mon sens, les principaux dangers du bitcoin. J'en avais identifié essentiellement quatre, qui étaient l'anonymat des transactions, susceptible de favoriser le blanchiment et l'évasion fiscale, l'absence totale de lien avec l'économie réelle, la volatilité des cours, et enfin, dernier point, et peut-être le plus préoccupant, la gabegie énergétique des activités de minage qui représentaient un véritable désastre pour l'environnement. Je développai en quelques mots chacune de ces facettes pernicieuses du bitcoin. En somme, dis-je pour conclure mon introduction, le bitcoin est l'arbre — vénéneux — qui cache la forêt — vertueuse — de la blockchain. Passé cette mise en bouche enlevée, que j'avais exposée sans consulter mes notes, je sortis de la poche de ma veste les feuillets que j'avais remplis ce matin. Je les étalai devant moi sur le pupitre, les fis glisser, les répartis avec soin. Je m'apprêtais à poursuivre, quand je me sentis soudain complètement vide. Je n'avais plus aucune idée de ce que j'allais dire. Je portai une des feuilles à mes yeux, et je m'aperçus que mon écriture manuscrite était à peine lisible. Je ne parvenais pas à me relire. J'inclinai la feuille vers la lumière zénithale d'un projecteur pour mieux déchiffrer mes notes, et je découvris que ce n'était pas la bonne feuille, je reposai la feuille sur le pupitre, en pris une autre. Je n'avais toujours pas enchaîné, cela faisait plus de trente secondes que je me tenais debout en silence sur la scène. J'imaginais qu'une vague de réprobation muette devait s'élever de l'assistance. Je me fouillai les poches et sortis, en tâtonnant, mon étui à lunettes, que j'ouvris, tant bien que mal. Je chaussai mes lunettes. Ma feuille à la main, je retrouvai la seule phrase complète que j'avais écrite ce matin, et je la lus, mécaniquement : « En d'autres termes, la focalisation exclusive du public et des médias sur la crypto-monnaie bitcoin pourrait nous détourner d'un débat plus productif sur le large éventail d'opportunités et de défis que présente la technologie blockchain. » Je me tus. Je ne savais plus quoi dire. Je savais que j'étais perdu, je n'avais plus de béquilles désormais, plus rien sur quoi m'appuyer. Il n'y avait plus ensuite, sur la dizaine de feuilles que j'avais remplies ce matin, que des indications brèves, des annotations, des prétextes à développement. Mais je savais pertinemment que je serais incapable de broder le moindre mot autour. Je levai la tête vers la salle. Ébloui par la lumière des projecteurs, je devinais en face de moi dans la pénombre la présence concrète et effrayante des spectateurs du premier rang. Il y avait des centaines de personnes au parterre et il y en avait autant au premier et au deuxième balcon. J'étais pris de vertige. Mais que faisais-je là ? Je tournai la tête vers les coulisses, à la recherche d'une planche de salut, de quelqu'un qui viendrait me chercher pour m'exfiltrer. Je repris mes feuilles, les doigts tremblants. Je me mis à lire, mot à mot, sans intonation, les simples annotations en style télégraphique que j'avais esquissées ce matin. Contenu numérique. Blockchain et gestion des droits. Possibilité d'utilisation de la blockchain pour enregistrer les ventes et autres transferts d'objets numériques individuels. La blockchain et l'État. Repenser les services publics (cf. Estonie). Je lisais, péniblement, la gorge serrée, ce qui me tombait sous les yeux, attendant que cela finisse, sans plus penser à rien, sans penser à ce que je disais, sans penser où j'étais, attendant que ça passe et faisant bonne figure, sans m'écrouler par terre ou quitter la scène, continuant à lire des éléments épars sortis de leur contexte qui n'avaient pas de sens et auxquels je ne cherchais pas à en donner, n'en voyant pas moi-même. Je continuais, seul sur scène, à lire les notes désarticulées qui me tombaient sous les yeux sur ces feuilles. Je ne sais pas combien de temps dura le calvaire, mais le pire était que j'essayais de le faire durer pour atteindre, au moins approcher, la durée des quarante-cinq minutes qui avait été requise, alors qu'il y avait au maximum dix minutes que j'avais commencé. J'étais à bout de forces. Je me tus. Je ne dis pas un mot de plus, je ne remerciai pas, je m'esquivai, honteux, sans attendre les applaudissements, sans me retourner, je filai dans les coulisses. Je rejoignis ma loge et regardai mon visage dans le miroir de maquillage dont les multiples ampoules semblaient cerner ma pâle figure comme une couronne d'épines (mon Dieu, me disais-je en regardant mon visage avec compassion). Mais, le plus fort, c'est qu'un tel fiasco, aux yeux des autres participants, passa inaperçu, personne ne me fit de remarque lors du dîner qui suivit, pas une allusion, pas un sous-entendu. Je ne fus confronté qu'à l'indifférence générale et à la gentillesse indéfectible du professeur Nakajima. Les gens s'en foutent, foncièrement, de ce qui vous arrive.

Je me laissai conduire au restaurant avec les autres participants du colloque. Je ne dis rien de tout le repas, j'écoutais rire et parler autour de moi, j'avais la tête qui bourdonnait. À la fin du dîner, je suivis le mouvement et me laissai entraîner par le professeur Nakajima dans un bar luxueux au sixième étage d'un immeuble de Ginza, où le principal partenaire du colloque, le journal économique *Nikkei Shimbun*, donnait une réception privée. On allait et venait autour de moi, on se pressait au bar, les intervenants du colloque se mêlaient aux autres invités et on faisait connaissance sans façon, mais je restais à l'écart et demeurais réticent si on m'adressait la parole. Il ne m'importait que d'être agréable au professeur Nakajima. Pour le reste, j'attendais que cela passe, je restais dans mon coin, silencieux, prostré dans un profond fauteuil club en cuir marron aux accoudoirs fendillés, à boire du bourbon dans un verre épais, avec de merveilleux glaçons bruts, en forme d'iceberg, que j'avais regardé le barman tailler avec un piolet miniature. Au sortir de la réception, dans une ruelle animée de Ginza où brillaient des néons, tandis qu'on se dispersait sous la pluie et que des sous-groupes se formaient en lambinant pour poursuivre la nuit dans d'autres bars, j'eus le sentiment que j'en avais suffisamment fait pour la soirée et que je pouvais me retirer sans déroger aux convenances. Je dis au professeur Nakajima que je voulais rentrer, et il me mit dans un taxi, il passa même la tête dans l'habitacle pour donner l'adresse au chauffeur en japonais.

Le taxi me déposa devant l'université, mais je me rendis compte que la grille d'entrée monumentale était fermée. Je m'approchai de la porte et cherchai la loge d'un portier, un interphone ou une sonnette. Il devait sûrement y avoir un gardien de nuit, mais je ne trouvai rien de tel. Je fis quelques pas en arrière pour observer les lieux, et je m'éloignai le long du boulevard à la recherche d'une autre porte d'accès qui serait ouverte toute la nuit. Je longeais le trottoir sous la pluie, et je m'engageai sur la droite dans une ruelle à peine éclairée pour contourner le campus. Il était plus de deux heures du matin, et il n'y avait plus personne dans les rues. Je marchais dans le noir, seuls quelques réverbères laissaient ici et là des taches de lumière espacées sur le trottoir. Je ne reconnaissais pas les lieux, et je fis demi-tour, je retournai vers le boulevard, où je voyais passer au loin sous la pluie des phares de voitures et des lumières de taxis. La pluie tombait plus fort maintenant, et je relevai le col de mon manteau, je revins en pressant le pas vers la porte principale de l'université, où le taxi m'avait déposé. Je me rendis compte alors, en étudiant

attentivement les alentours, que, passé la grille
d'entrée monumentale, le campus n'était plus
entouré uniformément par un mur d'enceinte,
mais par une simple grille fixée sur un muret.
J'écartai quelques feuillages, et je m'introduisis
sur les plates-bandes, mes chaussures s'enfon-
çaient dans la terre mouillée. J'examinai de plus
près la clôture. Elle montait à un mètre cinquante
de hauteur, mais il devait être possible de la fran-
chir, les fers de lance étaient relativement espacés
les uns des autres. Je grimpai sur le muret et
passai une jambe par-dessus la clôture, quand
me traversa l'esprit qu'il devait y avoir des caméras de surveillance en activité dans le campus, ce
qui voulait dire qu'un gardien était peut-être en
train de m'apercevoir en ce moment sur l'écran
de contrôle d'une salle de surveillance, un gardien qui aurait décelé une ombre se mouvoir
dans la nuit et qui, s'étant approché de l'écran,
aurait repéré ma silhouette en manteau sombre
assise là à califourchon sur la grille, un gardien
qui allait prévenir ses collègues ou accourir lui-
même pour venir m'interpeller. Je n'osais plus
faire un mouvement, ni revenir en arrière ni
poursuivre mon escalade. J'entendis un bruit à
l'intérieur de l'université, qui venait des arbres
et des taillis, et, ne perdant plus de temps, craignant qu'une alarme sonore ne se mît à retentir,
je me hâtai soudain, et je fis un faux mouvement

quand je voulus passer la grille avec l'autre jambe, alors que j'avais déjà un pied en appui de l'autre côté. Je sentis, à l'arrière de ma cuisse, un muscle se froisser, mais je poursuivis le mouvement et je passai la deuxième jambe. Je me hâtai encore, et au lieu de descendre avec prudence du muret, je sautai précipitamment sur le sol, et je trébuchai, perdis l'équilibre en me réceptionnant, zigzaguai dans l'allée et m'éloignai, en pressant le pas, filant obliquement sous la pluie entre les hautes silhouettes gothiques des bâtiments enténébrés de l'université. Je ne sais pas si c'est à cause de la pluie que je courais, ou de la peur, ou de la honte. J'arrivai en boitillant devant la porte du Sanjo Residence Hall, je sortis la clé de ma poche et pénétrai dans la résidence, traversai les couloirs dans le noir, et je rejoignis ma chambre, où je me laissai tomber sur le lit.

Lorsque je sortis de ma chambre, le lendemain matin, la résidence était un lieu fantôme, il n'y avait pas de lumière dans la salle à manger et les rideaux étaient tirés derrière la porte vitrée. La réception était déserte, le comptoir était vide en ce dimanche matin. Je quittai le campus par la porte principale, dont la grande grille était de nouveau ouverte. Le quartier de Hongo était désert sous la brume, et je décidai de rejoindre le quartier animé de Shibuya pour essayer de trou-

ver un cybercafé. Cela faisait cinq jours maintenant que j'avais quitté Bruxelles, et je n'avais toujours pas pu relever mon courrier électronique.
Le pressentiment de désastre que j'éprouvais depuis quelques jours semblait se confirmer, ma
conférence avait tourné à la déroute et mon retour
à l'université avait été piteux. En sortant du
métro, à Shibuya, il y avait de nouveau de l'ani-
mation, et je me laissai porter par la foule pour
traverser le carrefour. J'entrai dans un grand
immeuble vitré, et je montai en ascenseur
jusqu'au dernier étage, où se trouvait une librairie. Un café jouxtait l'espace de vente, avec une
baie vitrée qui donnait sur le carrefour de Shibuya, et cinq ordinateurs étaient en accès libre
sur une étagère de bois. Je pris place à l'un des
postes vacants et suivis les instructions pour
me connecter à internet. J'entrai d'abord mon
adresse professionnelle et découvris une soixan-
taine de nouveaux courriels que je n'eus pas le
courage d'ouvrir (je me contentai de parcourir les
noms des expéditeurs du regard, et mon œil averti
m'indiqua qu'il n'y avait rien d'important, j'en
ouvris seulement un ou deux par acquit de conscience). J'entrai alors mon adresse privée, et mon
cœur se serra. Parmi les seize nouveaux messages,
deux venaient de mon frère, le premier avait
comme objet « Papa » et le deuxième [Aucun
objet], et un de ma mère, avec comme objet « Ton

168

père ». Je compris tout de suite, avant même d'ouvrir le premier message, que la catastrophe imminente que je pressentais était pour maintenant. J'y étais. Je relevai les yeux vers la ville, à travers la baie vitrée, et je restai un moment sans bouger, les yeux au loin, très loin, j'avais le sentiment de savoir déjà, avant même d'avoir encore appris quoi que ce soit, ce qu'on allait m'annoncer. Je regardais fixement le carrefour de Shibuya, où des gens attendaient pour traverser. À chaque fois que le feu passait au vert, ils s'élançaient sur la chaussée et se croisaient en diagonale au milieu du carrefour. J'ouvris le premier message de mon frère, qui disait : « L'état de santé de papa s'est brusquement aggravé. La nuit dernière a été difficile, maman est débordée. Un infirmier vient l'aider toutes les nuits maintenant. Le médecin est pessimiste, mais je crois à son énergie. Maman tient le coup, un mot de toi lui ferait plaisir. » Le message de ma mère disait : « Ton père est au plus mal et il n'est pas certain qu'on puisse attendre ton retour. Peut-être peux-tu lui écrire un mot que je lui lirai. Je t'embrasse. » Le deuxième message de mon frère disait simplement : « Est-ce que tu as reçu mes mails ? Peux-tu m'appeler, il faut absolument que je te parle. »

Je savais, bien sûr, que mon père était malade, mais jamais je n'aurais pu imaginer que l'issue était aussi imminente. J'étais tellement habitué à savoir mon père malade depuis des années et tellement habitué aussi à le voir toujours se remettre avec courage et détermination des différentes opérations chirurgicales qu'il devait subir. Cela faisait déjà plus de dix ans, à l'automne 2004, qu'on lui avait diagnostiqué pour la première fois une tumeur cancéreuse. C'était juste après son départ de la Commission européenne, et il était difficile de ne voir qu'un simple hasard dans cette coïncidence de dates. Mon père a toujours eu une vie professionnelle très intense dans les différentes fonctions qu'il a exercées, à l'Unesco, à la direction de l'Institut d'études européennes à Bruxelles et à la Commission européenne. Tant qu'il travaillait, il n'avait pour ainsi dire pas eu le temps d'être malade. Le cancer était demeuré silencieux, qui ne s'était déclaré que du jour où il avait mis fin à ses activités. On avait dû l'opérer une première fois en 2004. Cela fut une opération lourde, avec thoracotomie et ablation du lobe du poumon affecté par la tumeur. Mon père a énormément maigri à la suite de l'opération, il a perdu plus de dix kilos et a dû acheter de nouveaux costumes, tant il flottait dans son ancienne garde-robe. Je me souviens encore de lui pendant sa convalescence, affaibli, assis en robe de chambre dans le salon de l'avenue Émile Duray, le cou qui nageait dans

170

une élégante chemise bleu pâle beaucoup trop large pour lui. Mais mon père a de la ressource, il s'est rétabli progressivement. Pas à pas, il a remonté la pente et il a pu reprendre une vie normale. Six ans plus tard, son cancer a connu une récidive, et il a de nouveau fallu l'opérer, pour une intervention du même type, aussi lourde, avec de nouveau ouverture du thorax, ablation d'un lobe de poumon, cicatrice et longue convalescence. La rémission dura encore cinq ans, jusqu'à ce que, il y a deux ans, lors d'un examen de contrôle, on lui découvrît une nouvelle récidive. Je me souviens que mon frère et moi n'avions pas accueilli la nouvelle avec tellement d'inquiétude, nous connaissions la procédure en quelque sorte, et nous savions qu'après l'opération, aussi pénible et douloureuse fût-elle, mon père finissait toujours par se rétablir. Mais, cette fois, il n'était plus opérable, il a fallu commencer la chimiothérapie. Mon père supporta une première chimiothérapie assez bien, mais, depuis la fin de l'été, il en avait commencé une deuxième, qu'il supportait plus difficilement, le traitement le fatiguait beaucoup. Je levai les yeux vers le carrefour de Shibuya sans plus penser à rien. Je songeais qu'il fallait que je parle au téléphone à mon frère. Je regardai l'heure, il était un peu moins de midi, quatre heures du matin à Bruxelles — je ne pouvais décemment pas appeler Pierre à cette heure. Je me levai, et j'allai me promener dans les rayons de la librairie. Je regardais devant moi, mais je ne voyais plus rien. Je me sentais faible, je chancelais, je trouvai une chaise et m'assis pour reprendre des forces. Une jeune femme qui travaillait dans la librairie s'approcha prudemment de moi et me demanda si j'avais besoin d'aide. Comme elle paraissait très serviable, je lui demandai si elle savait où il était possible de téléphoner dans le quartier, et la jeune femme, me voyant désemparé (je devais sans doute être très pâle), ou simple gentillesse naturelle des Japonais envers les étrangers, fut avec moi d'une prévenance sans égale. La première chose qu'elle fit, avec une spontanéité touchante, c'est de me tendre son propre téléphone et de m'inviter à téléphoner. Mais, comme je déclinais son offre, en lui expliquant que c'est en Europe que je devais téléphoner, et que je ne pouvais pas le faire maintenant, elle entreprit de se renseigner en se connectant à internet sur ce même téléphone qu'elle m'avait proposé pour savoir si la poste centrale de Shibuya était ouverte. Mais, n'allant pas au bout de ses recherches, elle eut une autre idée et me dit qu'il y avait des téléphones publics dans la gare de Shibuya. Comme je m'étonnais qu'il existât encore des cabines téléphoniques, elle m'expliqua que les autorités ne les avaient en effet jamais complètement retirées de la circulation, car elles étaient les seules à fonctionner en cas de séisme. Elle me raconta même que lors du tremblement de terre de 2011, des queues interminables s'étaient formées devant les rares appareils disponibles de la gare de Shibuya. Puis, tandis que je me relevais enfin, elle m'expliqua que j'aurais sans doute besoin de pièces de monnaie pour téléphoner, et elle m'accompagna jusqu'à une caisse du magasin pour me changer un billet de mille yens contre dix pièces de cent yens. Je passai le reste de l'après-midi à déambuler dans les rues de Shibuya. Je marchais droit devant moi, le regard vide. Un peu avant 16 heures, j'appelai mon frère d'une cabine publique de la gare de Shibuya. Je sortis mes pièces de cent yens, et composai le numéro de téléphone de Pierre. Je finis par entendre des sonneries dans le lointain, que j'écoutais résonner avec appréhension, et lorsqu'il décrocha, il y eut un silence et je crus qu'il allait m'annoncer à l'instant ce que je redoutais d'entendre. Mais il me dit seulement qu'il avait essayé de m'appeler plusieurs fois et il me demanda où j'étais. Je lui dis que j'étais à Tokyo et que je l'appelais d'une cabine téléphonique, que je ne pouvais me servir de mon portable, que je n'avais pas de réseau. Mais ce n'était pas à cela que je pensais, c'est à autre chose, à une seule autre chose que je pensais, et mon frère ne disait toujours rien au sujet de mon père, et, à mesure qu'il ne disait rien, mon inquiétude grandissait. Papa ? finis-je par dire, et je m'attendais alors à l'entendre m'annoncer le pire. Mon frère me dit, d'une voix sombre, qu'il l'avait vu la veille, qu'il était passé avenue Émile Duray et qu'il était resté avec mes parents jusque vers vingt-deux heures. Alessandro était également présent, me dit-il, qui s'était installé chez ses grands-parents pour se rendre utile. Il me dit que papa était conscient, mais qu'il dormait toute la journée. La nuit, il était agité, il se réveillait plusieurs fois. Il y avait maintenant un infirmier à plein temps à la maison, et on avait commencé à lui donner de l'oxygène et un goutte-à-goutte pour l'hydrater. Mon frère ajouta qu'il ne fallait pas avoir beaucoup d'espoir. Je lui demandai si je devais abréger mon séjour au Japon pour rentrer plus vite à Bruxelles, et il me dit que c'était à moi d'aviser en fonction de mes obligations. Je lui dis que j'allais voir ce que je pouvais faire, que je le tenais au courant, que je l'embrassais. Je raccrochai. J'étais ému. Mon père n'était pas mort.

Le soleil entrait dans la chambre le lendemain matin quand je me réveillai. Tandis que j'émergeais lentement du sommeil, ma première pensée fut pour mon père, qui était peut-être en train de vivre ses dernières heures à Bruxelles. J'avais

174

décidé d'écourter mon séjour au Japon pour rentrer dès que possible. Après le petit déjeuner, je sortis de la résidence pour aller rejoindre le professeur Nakajima au secrétariat de son département. Je traversais le campus, perdu dans mes pensées, en longeant un dédale de bâtiments administratifs. Je ne reconnaissais pas les lieux, je ne savais plus où j'étais. Je m'étais égaré. Je m'arrêtai. Sur la droite, en direction de l'entrée principale du campus, s'étendait une allée de ginkgos, dont le feuillage brillait dans le soleil matinal. Un tapis de feuilles mortes jonchait le sol, comme si une averse de pluie d'or était tombée pendant la nuit et que le dallage encore humide en avait gardé sur le sol une trace ambrée et scintillante. Je savais que le ginkgo est un arbre qui possède une volonté de vivre hors du commun, et je ne pus m'empêcher de faire le rapprochement avec mon père. Je sortis mon téléphone de ma poche, et je fis quelques photos de l'allée, avec l'idée de les montrer à mon père à mon retour. Je connaissais cette légende qui attribue au ginkgo la capacité de résister à toutes les catastrophes. C'est le ginkgo, à Hiroshima, qui fut le premier à bourgeonner à nouveau après le bombardement atomique. Je me sentais apaisé et heureux d'avoir croisé ce matin sur ma route cet arbre qui est le symbole de l'espérance de vie. J'étais toujours arrêté là à l'entrée de l'allée. Je

175

regardais les feuilles de ginkgos sur le sol, et je m'adressais mentalement à mon père, je lui disais : « Regarde, papa, comme Tokyo est beau en cette fin d'automne. Regarde ces feuilles jaunes de ginkgos qui jonchent les allées, regarde ce spectacle intemporel que je contemple ce matin en pensant à toi. »

Je finis par rejoindre le secrétariat du département du professeur Nakajima. On fit prévenir le professeur de mon arrivée et il se présenta une dizaine de minutes plus tard. Je le pris à part et je lui expliquai que l'état de santé de mon père s'était brusquement détérioré, et que je devais rentrer à Bruxelles. Il y avait, je le savais, un vol de nuit pour Paris le soir même, je m'étais renseigné la veille au cybercafé de Shibuya. Le professeur Nakajima fit preuve de beaucoup de gentillesse et de compréhension et m'aida à organiser les modalités de mon retour. Je pourrais rejoindre l'aéroport dès la fin de ma conférence cet après-midi, le professeur Nakajima excuserait mon absence au dîner prévu avec le président de l'université. Il se chargerait également d'annuler les autres rendez-vous programmés pour moi dans les prochains jours. Comme je n'avais plus d'ordinateur et pas de réseau téléphonique, je dus m'attarder encore un moment au secrétariat pour passer quelques coups de téléphone. J'appelai l'agence d'Air France au Japon pour procéder au changement de mon billet d'avion, et j'utilisai l'ordinateur d'une des secrétaires pour envoyer un message à mon frère et lui annoncer que j'arriverais à Bruxelles le lendemain matin. Le professeur Nakajima, debout en manteau à côté de moi, passait lui aussi un coup de téléphone au secrétariat, je l'entendais parler en japonais. Après avoir raccroché, il m'annonça qu'une voiture de l'université m'attendrait à la fin de la conférence pour me conduire à Narita.

En décollant de Tokyo, ce soir-là, je me souvenais du jour où, moins d'une semaine plus tôt, j'avais quitté Roissy pour entreprendre ce voyage en Asie. Peu de temps avait passé depuis que j'avais quitté Bruxelles, mais mon état d'esprit avait radicalement changé dans ce bref intervalle de temps. Maintenant que la catastrophe était là, maintenant que j'avais appris ce qu'était le désastre inconnu dont j'avais pressenti l'imminence, l'abattement et la tristesse avaient succédé à l'inquiétude diffuse que je ressentais au moment du départ. Cela tient sans doute à la nature particulière de l'inquiétude, qui amplifie toujours ce qu'elle ignore. À présent que la mauvaise nouvelle était tombée — et il pouvait difficilement y en avoir de pires — maintenant que je savais que

177

mon père allait mourir, j'étais, paradoxalement, moins angoissé.

L'avion venait de décoller, et je regardais la nuit à travers le hublot, une nuit impénétrable, que ne venaient altérer que les flashs réguliers des feux à éclats du Boeing dans le ciel. Je repensais aux heures que je venais de vivre, et je me demandais si l'inquiétude qui ne m'avait pas quitté depuis le début de ce voyage n'avait pas pour cause unique et inconsciente la maladie de mon père. Cela faisait des années que mon père était malade, mais je n'avais jamais voulu ouvrir les yeux sur sa maladie, je n'avais jamais voulu la regarder en face. Je me demandais si, tout au long de ce voyage, je ne m'étais pas construit des sujets d'inquiétude artificiels pour me détourner de l'anxiété plus foncière, la seule qui importait, que j'éprouvais en raison de la maladie de mon père, pour me cacher en quelque sorte à moi-même la vraie nature de l'angoisse qui m'étreignait. Je me mis alors à repenser à l'épisode de la clé USB perdue par John Stavropoulos dans le bar du Sofitel. Je me souvenais que la semaine dernière, en décollant de Roissy, j'avais soudain eu le soupçon que j'aurais pu être victime d'une machination, que John Stavropoulos avait fait exprès d'égarer la clé USB pour me faire tomber dans un piège. Mais, aujourd'hui que la tension était retombée, que ma méfiance avait disparu et que je n'étais plus empli que de résignation et de tristesse, je revoyais les événements sous une autre lumière. Je me rendais compte, avec le recul, que la perte de la clé USB avait nécessairement été accidentelle. Car, si cela avait été un piège, jamais John Stavropoulos ne m'aurait téléphoné cinq minutes plus tard pour m'avertir qu'il avait perdu une clé USB, au risque évident, si je lui avais dit que je l'avais retrouvée, d'être obligé de venir la rechercher aussitôt dans le bar, sans me laisser le temps de prendre connaissance de son contenu (même au troisième ou quatrième degré, cela paraissait impossible).

Après de multiples tentatives d'endormissement sur mon siège, je parvins finalement à dormir quelques heures d'affilée, et je me réveillai, les tempes en sueur et la main engourdie, le masque de sommeil sur le visage, ne sachant plus très bien où je me trouvais. Je mis un temps avant de retrouver mes esprits dans l'obscurité de la cabine du Boeing. Je relevai mon masque de sommeil sur mon front. Je me redressai pour allumer la veilleuse de mon siège, et je me rendis compte qu'il était quatre heures du matin, 20 heures en Europe. Quelques heures plus tard, à 2 h 40, heure française, nous atterrissions à Roissy. L'avion était encore en train de rouler sur la piste que je désactivais déjà le mode avion de mon téléphone pour avoir accès à ma messagerie. La première chose que je vis avec soulagement, c'est que mon frère ne m'avait pas laissé de nouveau message. J'écoutai les trois messages vocaux qu'il m'avait laissés ces derniers jours, qui ne m'apprirent rien que je ne savais déjà. J'avais encore le téléphone à l'oreille quand je quittai l'avion et traversai la passerelle vitrée de l'aéroport de Roissy dans la nuit glaciale de décembre.

Comme mon train pour Bruxelles ne partait qu'à sept heures du matin, je fus dirigé, avec trois ou quatre autres passagers en transit, vers un salon d'Air France qui restait ouvert toute la nuit. Le salon était silencieux. Je me préparai un café à une machine automatique, et passai une demi-heure à écouter mes messages et à lire l'ensemble de mon courrier électronique sur mon téléphone. Puis, me relevant pour aller choisir la presse sur un présentoir, je me rendis compte qu'il était possible de prendre une douche dans ces locaux. J'emportai ma valise avec moi et je m'enfermai dans un cabinet de toilettes privé. Il y avait une serviette blanche et un nécessaire de toilette sous plastique à ma disposition. Je me déshabillai, me glissai derrière la paroi de verre de la douche et ouvris le robinet d'eau chaude. Il était quatre heures du matin, et j'étais en train de me doucher en pleine nuit dans l'aéroport de Roissy. De retour dans le salon (je me sentais mieux, je m'étais rasé et j'avais changé de chemise), j'allai m'installer devant un ordinateur en accès libre, et je venais à peine de me connecter à internet que je découvris de nombreux bandeaux rouges et messages d'alerte qui annonçaient sur tous les sites d'informations qu'un attentat avait eu lieu à Berlin quelques heures plus tôt. La veille, vers 20 heures, un camion bélier avait foncé sur la foule dans un marché de Noël de la Breitscheid-platz. On parlait d'au moins dix morts et de plusieurs dizaines de blessés. Il ne faisait quasiment aucun doute que c'était un attentat islamiste. Lorsque je m'étais réveillé, cette nuit, dans l'avion, nous étions peut-être en train de survoler Berlin, et, même si je n'avais pas été à proprement parler à Berlin, mais au-dessus de Berlin à l'heure de l'attentat, je songeais que c'était la troisième fois que j'étais présent dans une ville frappée par un attentat ces dernières années. J'étais présent à Paris le 13 novembre 2015, j'étais présent à Bruxelles le 22 mars 2016, et, même si je n'avais pas été victime moi-même et qu'aucun de mes proches n'avait été directement affecté, à chaque fois, j'avais entendu au loin, derrière des vitres, l'écho anxiogène des sirènes des ambulances et des voitures de police qui convergeaient vers le lieu des attaques. Je pensais aussi combien mon

181

père avait été affecté par la brutalité des attentats. Un pessimisme nouveau lui était venu quant à l'état de la société. Il ne reconnaissait plus ce monde grimaçant qui se présentait à lui. Il avait également vécu douloureusement, comme des atteintes personnelles, des désillusions privées, les différentes crises qui avaient affaibli et décrédibilisé l'Europe ces dernières années, la crise grecque, la crise ukrainienne, la crise des migrants, comme si l'Europe humaniste dont il avait porté haut l'idéal toute sa vie était en train de sombrer sous ses yeux. Lui qui avait toujours été si combatif, lui qui était toujours prêt à en découdre pour défendre bec et ongles les causes qu'il défendait, il avait accueilli ce délitement de l'Europe avec un fatalisme résigné, comme si cela allait de pair avec la vulnérabilité nouvelle que la maladie lui avait imposée, avec la fragilisation de son corps dans l'espace public. Où était son monde ? Qu'étaient devenues l'Europe et la démocratie qu'il chérissait ? Mon père nous avait toujours répété à l'envi, à mon frère et à moi, puis, plus tard, à ses petits-enfants, à Alessandro, à Henri et à Hugues, les enfants de mon frère, et même à Thomas et à Tessa, les jumeaux qui n'avaient que neuf ans, mais qui connaissaient la formule de Churchill aussi bien et sans doute mieux que les paroles de n'importe quelle comptine : « La démocratie est le pire des régimes, à l'exception de tout autre. » C'est en ces termes, dans cette traduction particulièrement concise, qu'il nous avait toujours cité la phrase de Churchill, et il en avait fait sa devise ou son mantra : « La démocratie est le pire des régimes, à l'exception de tout autre. » Il aurait pu en dire autant de l'Europe. L'Europe est la pire perspective pour le continent, à l'exception de toute autre.

Je pensais à mon père dans le train qui me ramenait de Roissy (il faudra être courageux, m'avait simplement dit le professeur Nakajima en prenant congé de moi devant l'université). Le soleil s'était levé peu de temps auparavant, on voyait poindre un jour nouveau à l'horizon. Je regardais le paysage par la fenêtre, les champs blancs dans la pénombre que recouvrait une mince pellicule de givre, et, de nouveau, comme la veille, je m'adressai mentalement à mon père : « Regarde, papa, comme la nature est belle ce matin, à l'heure où blanchit la campagne. »

Arrivé à Bruxelles, je pris un taxi gare du Midi pour rejoindre la place du Châtelain. Je déposai ma valise dans l'entrée, et j'appelai aussitôt mon fils pour prendre des nouvelles. Avant même que je dise quoi que ce soit, Alessandro m'apprit que mon père était mort. Je reçus la nouvelle avec calme, comme si je venais d'apprendre quelque

chose que je savais déjà, ou plutôt comme si je
venais d'avoir la confirmation d'une nouvelle
dont la violence, comme une vague qui s'abat,
m'avait déjà frappé de plein fouet dans les jours
précédents, et dont je ne ressentais plus à présent
que les effets atténués. Debout devant la fenêtre,
je regardais fixement les arbres de la place du
Châtelain à travers la vitre. C'était maintenant,
cette nouvelle que j'avais tant de fois anticipée
— comme ma propre mort, que j'anticipe tant de
fois et qui jamais n'advient —, c'était maintenant.
Je demandai à mon fils quand cela s'était passé,
et il me dit la veille, un peu après 22 heures. Je
rangeai mon téléphone, j'avais toujours le regard
fixé devant moi sur la place du Châtelain. Je ne
bougeais pas. Je songeai alors que je dormais dans
l'avion, que j'étais dans le ciel, à dix mille mètres
d'altitude, quand mon père était mort.

Je quittai le studio de la place du Châtelain et
je pris le chemin de la maison de mes parents.
Je marchais lentement. Sans même en avoir conscience, sans avoir rien prémédité, je passai devant
l'école où j'allais à Bruxelles quand j'étais enfant.
Je m'arrêtai devant le bâtiment en briques rouges
de style néo-Renaissance flamande qui portait
gravée dans la pierre l'inscription « école pri-
maire n° 9 — garçons ». Pendant six années,
j'avais fréquenté cette école de la rue Américaine.

Je fus envahi de nostalgie de revoir ainsi de façon fortuite l'école de mon enfance le jour même où je venais d'apprendre la mort de mon père. Arrivé place Leemans, au lieu de contourner la place pour poursuivre ma route, je tournai à gauche dans la rue Washington. Je le fis naturellement, comme si je savais exactement où j'allais, alors que cela constituait un détour pour aller chez mes parents. Deux fois de suite, plutôt que d'emprunter le chemin le plus direct pour rejoindre mon père mort, j'avais bifurqué vers des lieux de mon enfance. Je remontais la rue Washington, avec, au loin, dans mon champ de vision, la façade de la maison où nous habitions à Bruxelles, rue Jules Lejeune, avant le départ de la famille à Paris. À plus de quarante ans de distance, je marchais dans les traces de mon passé, empruntant le même couloir d'espace immatériel que je suivais à l'époque pour rentrer de l'école. Je marchais en direction de l'immeuble de la rue Jules Lejeune, et, à mes pensées du moment, au flux informulé de pensées qui concernaient mon père, venaient se mêler ou se superposer des réminiscences de pensées que j'avais élaborées au même endroit à la fin des années 1960, des pensées qui concernaient mon frère ou ma mère, qui concernaient mes grands-parents, bonne-maman, la mère de mon père, avec qui nous passions l'été au Coq, ou bon-papa

Marcel, l'architecte, le père de ma mère. Je poussai encore le détour d'une centaine de mètres pour rejoindre la Plaine, cette aire de jeu de mon enfance qu'on appelait simplement la Plaine, où nous allions jouer avec un sentiment de liberté et d'indépendance dont j'ai rarement retrouvé l'intensité depuis. Je poussai la grille et j'entrai dans l'aire de jeux déserte. Je laissai sur ma droite un toboggan rouge abandonné dans un enclos de sable. Je n'étais plus revenu ici depuis des dizaines d'années. L'espace me semblait avoir rétréci, comme chaque fois que des souvenirs lointains sont confrontés à la réalité du présent, mais quelque chose de poignant se dégageait de ce lieu abandonné dans ce matin glacial de décembre, avec une balançoire vide immobile sous les arbres. L'esprit comme anesthésié, je marchais vers le terrain de football. À chaque fois que je reconnaissais quelque chose dans l'espace environnant, je me laissais envahir par des ondes invisibles qui venaient du passé. Je m'étais arrêté, et je regardais devant moi le terrain de football dont le sol était recouvert d'une fine pellicule de givre. De la buée s'échappait de ma bouche dans le froid. Il se passa encore quelques secondes, et, me sentant soudain envahi par une bouffée de douleur qui me montait irrépressiblement de la poitrine, je fus secoué par un spasme, et j'émis un ou deux gémissements, comme une brève quinte de toux, ou comme si je vomissais. Je ne produisis aucune larme, mais je pleurais, seul dans la Plaine de mon enfance.

À leur retour à Bruxelles, au milieu des années 1990, mes parents s'étaient installés au 28, avenue Émile Duray, dans une maison qui avait été construite par mon arrière-grand-père, l'architecte Pierre de Groef. Lorsque je sonnai à la porte, j'entendis la voix de mon fils dans l'interphone. Il ouvrit la porte de la rue à distance, et il vint m'accueillir dans le hall de l'immeuble. Je serrai Alessandro dans mes bras, et nous restâmes un instant enlacés dans les escaliers. Il me dit qu'il avait prévenu sa mère. Elisabetta m'embrassait, elle était à Rome et elle m'appellerait dans la journée, elle essayerait de venir à l'enterrement. Cela me fit plaisir de recevoir un témoignage de sympathie d'Elisabetta, je m'étais toujours très bien entendu avec elle. Je demandai à Alessandro si mon frère était à la maison, et il me dit qu'il venait de repartir, il était retourné travailler, mais il reviendrait déjeuner. Nous montâmes les dernières marches et j'entrai dans la maison de mes parents. Ma mère nous attendait debout à l'entrée du salon. Elle était absolument immobile. Très digne, elle m'embrassa avec beaucoup de douceur, beaucoup de réserve dans l'émotion. Dans les premiers instants, elle n'évoqua pas la mort de mon père, elle fit comme si de rien n'était, et il y eut un immense vide, un énorme non-dit, manifeste, presque tangible, qui s'installa dans le salon. Elle me demanda si je voulais un café, et elle partit le préparer à la cuisine. Elle allait et venait entre la cuisine et le salon, apportant deux tasses, puis une troisième, pour Alessandro, lui ayant demandé s'il voulait également un café. Alessandro, aux petits soins avec elle, voulut l'aider, mais elle lui dit que cela lui faisait du bien de faire quelque chose, et elle continuait ses allées et venues avec une ténacité butée, le regard absent, apportant le sucre, puis un paquet de biscuits, qui lui échappa des mains et qui tomba sur le tapis. Elle apporta enfin le café et elle commença à le servir. Ma mère n'avait pas pleuré quand j'étais arrivé. Elle n'avait pas manifesté de signe démonstratif de douleur en ma présence. Elle paraissait calme, apparemment maîtresse d'elle-même, mais on sentait une agitation intérieure, une effervescence, que trahissait parfois, au milieu de sa torpeur, un geste brusque ou une inhabituelle maladresse. Ce n'est qu'une fois qu'elle nous eut servi le café qu'elle se mit à évoquer les dernières heures de mon père. Mon père, je le savais, avait pris des dispositions dans le cas où il se trouverait dans un état d'inconscience irréversible. L'euthanasie est légale en Belgique, et mon père avait fait quelques mois plus tôt une démarche officielle de déclaration anticipée de volonté d'euthanasie. Ma mère me raconta que l'état de santé de mon père s'était brusquement aggravé le vendredi soir. Dans la journée de samedi, le médecin était venu à la maison, Pierre était également présent. Ils avaient alors envisagé ouvertement l'hypothèse de laisser le médecin procéder à une injection létale si aucune amélioration significative ne survenait. Mais cela n'avait pas été nécessaire, le médecin avait prescrit à mon père un puissant sédatif pour soulager ses souffrances, et cela avait suffi pour accélérer sa fin. Hier après-midi, ma mère avait senti que les dernières heures de mon père étaient arrivées, et elle avait prévenu mon frère, tout le monde s'était réuni à la maison autour de mon père. Il ne manquait que moi, mais ma mère avait dit à mon père que j'étais sur le chemin du retour du Japon, puis elle lui avait dit que j'étais revenu, ou bien lui avait-elle seulement menti par omission en lui disant que tout le monde était réuni autour de lui, lui ayant en quelque sorte donné la permission de ne pas m'attendre, et mon père, qui était à peine conscient depuis plus de vingt-quatre heures, s'en est allé doucement. Ma mère me raconta que quelques jours plus tôt, dans un de ses derniers moments de lucidité, alors qu'elle voulait s'assurer que son intention était toujours que sa vie fût abrégée, elle avait demandé à mon père si le temps était venu qu'il s'en aille, et mon

père, ouvrant les yeux, surpris, lui avait répondu :
« Mais où veux-tu que j'aille ? » Elle me sourit
avec douceur, pour me prendre à témoin. Elle
ajouta que mon père, comme d'habitude, s'était
battu jusqu'au bout. Il avait eu beau faire des
démarches officielles pour envisager l'euthanasie,
il n'était pas homme à lâcher la partie avant le
dernier souffle. Mais tu peux aller le voir, il est
dans la chambre, me dit-elle.

Le moment que je redoutais le plus était arrivé,
plus rien ne pouvait le retarder à présent. Je me
levai de mon siège et quittai le salon. Je traversai
plusieurs pièces désertes où, quoiqu'il fût désormais absent, on sentait toujours la forte présence
de mon père dans l'atmosphère. Je m'engageai
dans le couloir qui menait à la chambre à coucher
de mes parents. Au bout de ce couloir, passé
cette barrière invisible, on pénétrait dans le territoire intime de mes parents, on entrait dans un
espace qui, encore aujourd'hui, m'intimidait. Il
régnait, il avait toujours régné, dans cette partie
de la maison, l'odeur de mes parents, une odeur
chaude et enveloppée que, ce matin encore, je
reconnus immédiatement. La salle de bain con-
tiguë à leur chambre était dans la pénombre, je
devinai au passage des ombres de flacons de
médicament et de compresses sur la tablette du
lavabo. J'entrai dans la chambre. Mon père était

allongé sur le lit, en costume et cravate, les mains croisées au-dessus d'une couverture en laine qui montait jusqu'à sa taille. Il semblait dormir, les traits de son visage étaient calmes, reposés. Ma mère m'avait confié que les infirmiers qui avaient procédé à sa toilette mortuaire avaient dit que papa était très beau, et c'est vrai que mon père était beau, allongé sur son lit de mort. Les traces de la maladie semblaient avoir disparu, je repérai le ruban d'une décoration au revers de sa veste. Plutôt que de me sentir ému, plutôt que d'être submergé par l'émotion comme je l'avais été une demi-heure plus tôt à la Plaine, je pensais simplement que c'était émouvant. Je le pensai en ces termes : « C'est, en effet, très émouvant. » Je percevais l'émotion que la situation recelait, je me rendais compte que la scène que j'étais en train de vivre était très émouvante, mais je n'éprouvais pas moi-même cette émotion, comme si, l'esprit tendu et attentif, à l'écoute des sentiments que je ressentais ou que j'aurais dû ressentir, j'étais incapable de les éprouver vraiment, je ne pouvais que les observer de l'extérieur, et, dans cette nuance, dans cette infime distinction, je voyais une constante de mon caractère, une raideur, une rigidité, une difficulté que j'ai toujours eue à exprimer mes émotions.

CET OUVRAGE A ÉTÉ ACHEVÉ D'IMPRIMER
LE SIX MAI DEUX MILLE DIX-NEUF DANS LES
ATELIERS DE NORMANDIE ROTO IMPRESSION S.A.S.
À LONRAI (61250) (FRANCE)
N° D'ÉDITEUR : 6390
N° D'IMPRIMEUR : 1904541

Dépôt légal : septembre 2019